A PLUS
D'UN TITRE

Raymond DEVOS

A PLUS D'UN TITRE

Olivier Orban

ISBN 2-266-11236-8

SOMMAIRE

LES ENFANTS 9
L'ARTISTE 12
ARTISTE OU OUVRIER 16
LE SAVANT ET L'ARTISTE 18
LA BOULE VOLANTE 20
OÙ COURENT-ILS ? 23
CEINTURE DE SÉCURITÉ 27
TOURS DE CLEFS 28
PETITS TRAVERS 31
QUI TUER ? 33
QU'EST-CE QUI VOUS ARRIVE ? 37
ÇA N'ARRIVE QU'À MOI 42
LE PRIX DE L'ESSENCE 44
MA DEUX BŒUFS 45
LES NEUF VEAUX 47
LE RIRE PRIMITIF 48
LE GRIMACIER 52
J'AI LE FAUX RIRE 54
LE CLAIRON 57
PRÊTER L'OREILLE 60
OUÏ DIRE 62
LE PETIT POUSSIN 64
ALIMENTER LA CONVERSATION 66
LE MILLE-FEUILLE 68
LA CHUTE ASCENSIONNELLE 74
UN ANGE PASSE 77
L'INCONNU DU 11 NOVEMBRE 80

Il y a quelqu'un derrière 82
Supporter l'imaginaire 85
Les ombres d'antan 91
L'apparition de la parente 95
La quatrième dimension 98
Le bout du tunnel 104
L'esprit faussé 108
Le savoir-choir 112
A se tordre 116
Ça peut se dire, ça ne peut pas se faire 118
Le cavalier sur sa monture 121
Le dompteur Jekyll et son lion Hyde 124
Métempsycose 127
Les objets inanimés 130
Mésaventure extraterrestre 135
Les poches sous les yeux 138
Je zappe 141
Une de perdue 145
Dernière heure 148
Je me suis fait tout seul 151
Doublé par ses doubles 154
Le vent de la révolte 159
La vie, je me la dois 170
Narcissisme 172
Mourir pour vous * 175
Le parapsychologue et l'artiste 177

* En collaboration avec Mireille Vincendon.

LES ENFANTS

Un jour...
je m'apprêtais à traverser la rue
et à côté de moi, il y avait une dame
qui s'apprêtait à le faire aussi
qui se tourne vers moi et qui dit :
« Oh, le beau petit garçon ! »
Moi, j'ai cru qu'elle s'adressait
à un enfant qui devait se trouver
derrière moi...
et que je devais cacher !
Pas du tout !
C'était de moi qu'il était question !
Elle me dit :
« A ton âge, ton papa te laisse sortir tout seul ? »
Je lui dis :
« Mais madame, il y a longtemps
que je n'ai plus mon papa. »
Elle me dit :
« Oh, pauvre petit !... Donne-moi la main,
je vais t'aider à traverser la rue. »
Je lui dis :
« Mais madame, vous vous méprenez !
Je ne suis plus un enfant !
– Vraiment ?
– Mais enfin, madame, voyez ma taille...

ma corpulence... Je suis gros ! »
Elle me dit :
« Oh mais, il y a des petits gros ! »
Je lui dis :
« Un petit gros, il est gros mais petit.
Moi, je suis gros mais grand !
Elle a fini par m'avouer que,
comme elle n'avait jamais eu d'enfants,
elle ne savait pas ce que c'était !
Je lui dis :
« Enfin, madame, à votre âge ! »
Elle me dit :
« Mais quel âge me donnez-vous donc ? »
Moi, je lui donnais entre trente et trente-cinq ans...
Elle me dit :
« Je viens tout juste d'en avoir cinq ! »
Je lui dis :
« Et à ton âge, ta maman te laisse
sortir toute seule ? »
Elle me dit :
« Il y a longtemps que je n'ai plus ma maman. »
Je lui dis :
« Pauvre petite... Donne-moi la main ! »
Puis je l'ai aidée à traverser la rue.
De l'autre côté de la rue, comme je lui
lâchais la main, elle a pris la mienne
et elle m'a accompagné jusque devant chez moi.
Devant chez moi, comme elle me lâchait la main,
je l'ai prise par le bras et je l'ai accompagnée
jusque devant chez elle !
Et ce petit jeu a duré des semaines et des semaines !
Vous me direz : « A quoi jouiez-vous ? »
Tantôt à la dînette, tantôt au cerceau...
Le plus souvent à la marelle !
Jusqu'au jour où elle a voulu jouer
au papa et à la maman.
Là, je lui ai dit :
« Écoute ! Nous sommes encore un peu

jeunes pour jouer à ce jeu-là ! »
Elle en était tout attristée.
Pour la consoler, je lui ai promis que
plus tard, quand on serait grands,
on se marierait !
En attendant... je lui ai offert
une poupée, pour qu'elle se familiarise
tout doucement !
Alors...
quand on dit qu'il n'y a plus d'enfants !
Des petits, peut-être !
Mais des grands... !

L'ARTISTE

Sur une mer imaginaire, loin de la rive...
L'artiste, en quête d'absolu,
joue les naufragés volontaires...
Il est là, debout sur une planche
qui oscille sur la mer.
La mer est houleuse et la planche est pourrie.
Il manque de chavirer à chaque instant.
Il est vert de peur et il crie :
« C'est merveilleux !
C'est le plus beau métier du monde ! »
Et pour se rassurer, il chante :
Maman, les p'tits bateaux
Qui vont sur l'eau
Ont-ils des jambes ?
- *Mais oui, mon gros bêta...*
et plouff, il tombe à l'eau !
Il est rappelé à la dure réalité de la fiction.
Lui, qui se voyait déjà en haut de l'affiche,
il se voit déjà en bas de la liste de ces chers disparus !
Il a envie de crier :
« Un homme à la mer ! »
Mais comme l'homme, c'est lui,
et que lui, c'est un artiste
et qu'il exerce le plus beau métier du monde,
il crie :

« Et le spectacle continue ! »
Il remonte sur sa planche pourrie.
Il poursuit sa quête de l'absolu.
(Chanté :)
Maman, les p'tits bateaux
Qui vont sur l'eau
Ont-ils des jambes ?
et plouff !
il retombe à l'eau.
Il est ballotté comme une bouteille à la mer,
à l'intérieur de laquelle
il y a un message de détresse.
Il a envie de crier :
« Une bouteille à la mer ! »
Mais comme la bouteille, c'est lui,
et que lui, c'est un artiste
et qu'il exerce le plus beau métier du monde,
il crie :
« L'eau est bonne !
... Un peu fraîche, mais bonne ! »
Il remonte sur sa planche pourrie...
Il a complètement perdu le nord.
Il se croit sur la mer du même nom,
la mer du Nord... Il fait la manche...
Toujours la quête de l'absolu !
(Chanté :)
Maman, les p'tits bateaux
Qui vont sur l'eau
Ont-ils des jambes ?
Et il retombe à l'eau.
Le public, qui est resté sagement sur la rive,
se demande si l'artiste n'est pas en train
de l'emmener en bateau.
Il se dit :
« Mais alors, quand est-ce qu'il se noie ? »
L'artiste, lui, s'aperçoit soudain
que la planche pourrie sur laquelle
il est remonté pour la énième fois

donne de la gîte sur tribord !
C'est-à-dire qu'elle penche du côté où il va tomber !
Il a envie de crier :
« Les femmes et les enfants d'abord ! »
Mais comme il est tout seul, il crie :
« Je suis le maître à bord ! »
Il ajouterait bien :
« Après Dieu ! »
Mais comme dans l'imaginaire, Dieu,
on ne risque pas de le rencontrer !...
(Dieu existe, certes... mais dans le réel !)
Pour Dieu, l'imaginaire, c'est une vue de l'esprit !
La fiction, ça le dépasse !
L'artiste sait qu'il n'a rien à attendre du Ciel.
Alors, au lieu de crier :
« Après Dieu ! »
Il crie :
« Après moi, le déluge ! »
Et tandis que sa planche,
qui fait eau de toutes parts,
s'enfonce dans les eaux,
il n'a plus qu'une pensée :
« Sauver la recette ! »
Il fait une annonce publicitaire :
« Mesdames et messieurs,
 la planche pourrie sur laquelle j'ai eu
 l'honneur de sombrer pour la dernière fois
 devant vous ce soir, était sponsorisée
 par le ministère de la Culture ! »
Et il coule avec la subvention !
Il disparaît dans les flots
et il réapparaît aussi sec...
Il a de l'eau jusqu'à la ceinture...
Ses deux pieds touchent le fond de la mer.
Alors, le public :
« Ha ! Ha !
 Il s'est noyé dans un verre d'eau ! »
A l'évidence, la mer imaginaire sur laquelle

l'artiste s'est embarqué imprudemment,
est à la hauteur de son imagination.
Elle manque de profondeur.
C'est une mer à marée basse.
Une mer de bas fonds !
Une mer indigne d'un grand naufrage !...
Alors l'artiste, pour ne pas sombrer
dans le ridicule...
il fait la planche !
Il fait la planche pourrie.
Il a envie de crier :
« Une planche à la mer ! »
Mais comme la planche, c'est lui,
et que lui, c'est un artiste
et qu'il exerce le plus beau métier du monde,
il crie :
« Je suis le radeau de la Méduse à moi tout seul
  et il se pourrait que cette fois-ci,
  il n'y ait pas de survivants !... »
Le public, imperméable jusque-là, se dit :
« C'est un spectacle cool...
– Pas de survivants ?
– Cela promet...
– Cela laisse entrevoir une fin heureuse ! »
Alors, après avoir crié : « Bis ! »,
il crie : « Ter ! Ter ! »
Et c'est le miracle !
Devant le public médusé,
l'artiste transfiguré, regagne la rive
en marchant sur les flots...
et il se noie dans la foule !...

ARTISTE OU OUVRIER

L'artiste entre, tenant une valise sur laquelle on peut lire l'inscription :

ARTISTE DE VARIÉTÉS

L'artiste désignant l'inscription :
Ça, c'est moi !... Enfin, c'est moi...
Maintenant que je l'ai dit, il faut le prouver,
parce que c'est ça...
(Il fait tourner la valise. Sur le petit côté est inscrit :
OU ; *sur l'autre face, on peut lire :)*

OUVRIER CHEZ RENAULT

... ou c'est ça ! C'est l'heure du choix !
(Il ouvre la valise, en sort une baguette
et une pile d'assiettes.)
Alors... c'est... tourneur d'assiettes...
(Il pose ces accessoires.)
ou alors... c'est tourneur chez Renault !
(Il sort une salopette de la valise et la montre
au public.)
Bon ! Allons-y...
(Il prend une des assiettes, la baguette et essaie
de faire tourner l'assiette, mais celle-ci tombe
et se casse.)
La première est toujours sacrifiée !
(A part :)
J'ai bien peur que tout le service ne le soit !

(Il prend une autre assiette, essaie de la faire tourner, mais celle-ci tombe et se casse de la même façon.)
(Il met sa casquette.)
Demain, c'est l'usine !
C'est la machine... Huit heures devant la machine... !
(Secouant sa baguette de la main gauche et la considérant :)
Je suis gaucher ? !
Le pianiste : Comment ?
L'artiste : Je suis gaucher !
Le pianiste : Et alors ?
L'artiste : Alors, je suis adroit de la main gauche et je suis gauche de la main droite !
(Le pianiste lui mime de faire tourner l'assiette de la main gauche.
L'artiste essaie mais l'assiette tombe à nouveau et se brise.)
L'artiste : Au boulot !
(Il prend le bleu de mécanicien et l'enfile...)
Passez-moi ma boîte à outils, s'il vous plaît... monsieur...
Donnez-moi ma carte que j'aille pointer...
mon marteau... ma faucille...
Ça fait trois mois que je répète tous les matins.
Pourquoi je n'y arrive pas ?
(Il prend alors la dernière assiette et essaie de la faire tourner. Il y réussit parfaitement. Tenant alors la baguette sur laquelle tourne l'assiette d'une main, il se débarrasse lentement du bleu de mécanicien comme dans un strip-tease.
Une fois terminé, il dépose les accessoires dans la valise qu'il jette loin de lui.

LE SAVANT ET L'ARTISTE

Quelquefois, on me dit, comme on dit à tous ceux qui ont la prétention d'amuser les gens, on me dit :
« En dehors de faire le guignol,
qu'est-ce que vous faites ? »
Parce que ça ne fait pas très sérieux !
Effectivement, je connais un fantaisiste, un danseur de claquettes...
Parfois, chez lui, il se met devant sa glace.
Il prend un chapeau, une canne et puis...
(L'artiste danse les claquettes sur la musique de C'est magnifique *et termine le thème par un saut sur place.)*
Ça fait léger !
D'autant que dans la pièce à côté, il y a un savant, un savant avec un grand front...
Toute la journée, il est là... penché sur un microscope.
Il cherche à localiser un virus...
Ça, c'est important pour le bien de l'humanité !
Alors, que dans la pièce à côté,
il y a l'autre guignol avec son chapeau et sa canne...
(Nouvelle danse des claquettes sur la même musique qui se termine par les paroles de la chanson :)
Oh ! la la la !
(Grimaces de souffrance.)
Tout d'un coup, il ne se sent pas bien...
Il a dû attraper un virus mais il ne sait pas lequel,

alors, il cherche !
Alors que dans la pièce à côté, le savant,
il a trouvé son virus !
De joie, il prend un chapeau, une canne et...
*(Sortie de l'artiste qui danse les claquettes
sur la même musique de* C'est magnifique.*)*

LA BOULE VOLANTE

L'artiste (présentant un foulard) :
Mesdames et messieurs,
voici un foulard représentant la mer...
(Chantant :)
La mer qu'l'on voit danser le long des golfes clairs...
Évidemment, il n'y a rien à l'intérieur...
(montrant l'envers et l'endroit)
comme vous pouvez le constater...
Voici, mesdames et messieurs, rien que par la puissance de mon souffle...
Parce qu'il y a des magiciens qui vous promettent la lune... Moi, je vous promets le soleil... rien que par la puissance de mon souffle !
(Il place le foulard devant son visage, colle ses lèvres contre le foulard et fait mine de souffler dessus. On voit alors le foulard « se courber » comme si un ballon grossissait dessous... L'artiste abaisse légèrement le foulard et l'on voit « décoller » de ses lèvres et s'élever dans le ciel un superbe « soleil » qu'il fait aussitôt redescendre derrière le foulard.)
Et voici un coucher de soleil sur la mer !
(Il fait lever son soleil de derrière la ligne d'horizon du foulard.)
Et voici un lever de soleil sur la mer !
(Mouvement inverse.)
Un coucher de soleil sur la mer !

(Mouvement inverse.)
A nouveau, un lever de soleil sur la mer !
(Tout en continuant le mouvement de « lever » et de « coucher » :)
Cela peut durer des jours et des nuits !
Voici un soleil qui disparaît à l'horizon...
(L'artiste fait passer la boule sous son aisselle gauche... tout en montrant que le foulard ne cache rien. Tandis que l'on sent que le « soleil » passe derrière son dos...)
Voici à nouveau un lever de soleil... vu sous un jour nouveau !
(On voit « resurgir » le soleil sur le côté droit.)
Voici, mesdames et messieurs...
(Il donne un coup de pied dans le « soleil » recouvert du foulard :)
... un coup de pied à la lune dans le soleil !
(Sur le coup, le « soleil » toujours recouvert du foulard, prend son essor et s'élève léger comme un ballon rouge.)
Et voici enfin, visible pour tous, un doute qui plane...
(Comme le soleil, qui a pris de la hauteur, passe au-dessus de lui, et légèrement en arrière... l'artiste, pour ne pas le perdre de vue, fait demi-tour et se trouve ainsi dos au public. Sa main gauche ayant lâché un des coins du foulard, il en profite pour prendre dans sa poche un faux nez (petite boule rouge) qu'il place sur son appendice nasal.)
(L'artiste rattrape de la main gauche le coin du foulard qui pendait et ramène le foulard sur sa tête. Puis, il se retourne lentement vers le public, le visage toujours caché :)
Voici un artiste envahi par le doute !
(Il fait apparaître la boule au-dessus du foulard.)
Voici à nouveau le coup du soleil levant !
(Jeu inverse :)
Le coup du soleil couchant !
(Abaissant la boule et montrant son nez coiffé de la petite boule rouge :)
Voici le coup de soleil sur le nez !
(Superposant la grosse boule rouge :)
Voici le même effet grossi plusieurs fois !

(Déplaçant la grosse boule sur le côté :)
Attention ! Un soleil peut en cacher un autre !
(L'artiste retire alors son nez qu'il gardera dans la main gauche. Puis, descendant le foulard jusqu'à la hauteur de la ceinture, il montre que le soleil a disparu.)
Et voici enfin le soleil qui disparaît dans la mer, définitivement !
(Saluant :)
Merci beaucoup, mesdames et messieurs !

OÙ COURENT-ILS ?

L'artiste (entrant) :
Excusez-moi, je suis un peu essoufflé !
Je viens de traverser une ville
où tout le monde courait...
Je ne peux pas vous dire laquelle...
je l'ai traversée en courant.
Lorsque j'y suis entré, je marchais normalement.
Mais quand j'ai vu que tout le monde courait...
je me suis mis à courir comme tout le monde,
sans raison !
A un moment, je courais au coude à coude
avec un monsieur...
Je lui dis :
« Dites-moi... pourquoi tous ces gens-là
 courent-ils comme des fous ? »
Il me dit :
« Parce qu'ils le sont ! »
!!!
Il me dit :
« Vous êtes dans une ville de fous ici...
 vous n'êtes pas au courant ?
Je lui dis :
« Si, des bruits ont couru ! »

Il me dit :
« Ils courent toujours ! »
Je lui dis :
« Qu'est-ce qui fait courir tous ces fous ? »
Il me dit :
« Tout ! Tout !
Il y en a qui courent au plus pressé.
D'autres qui courent après les honneurs...
Celui-ci court pour la gloire...
Celui-là court à sa perte ! »
! ! !
Je lui dis :
« Mais pourquoi courent-ils si vite ? »
Il me dit :
« Pour gagner du temps !
Comme le temps, c'est de l'argent...
plus ils courent vite, plus ils en gagnent ! »
Je lui dis :
« Mais où courent-ils ? »
Il me dit :
« A la banque !
Le temps de déposer l'argent qu'ils ont gagné
sur un compte courant... et ils repartent
toujours courant, en gagner d'autre ! »
Je lui dis :
« Et le reste du temps ? »
Il me dit :
« Ils courent faire leurs courses...
au marché ! »
! ! !
Je lui dis :
« Pourquoi font-ils leurs courses en courant ? »
Il me dit :
« Je vous l'ai dit... parce qu'ils sont fous ! »
Je lui dis :
« Ils pourraient aussi bien
faire leur marché en marchant...
tout en restant fous ! »

Il me dit :
« On voit bien que vous ne les connaissez pas !
D'abord, le fou n'aime pas la marche... »
Je lui dis :
« Pourquoi ? »
Il me dit :
« Parce qu'il la rate ! »
! ! !
Je lui dis :
« Pourtant, j'en vois un qui marche ! ?
Il me dit :
« Oui, c'est un contestataire !
Il en avait assez de toujours courir comme un fou.
Alors, il a organisé une marche de protestation ! »
Je lui dis :
« Il n'a pas l'air d'être suivi ? »
Il me dit :
« Si ! Mais comme tous ceux qui le suivent courent,
il est dépassé ! »
! ! !
Je lui dis :
« Et vous, peut-on savoir ce que vous faites
dans cette ville ? »
Il me dit :
« Oui ! Moi, j'expédie les affaires courantes.
Parce que même ici, les affaires ne marchent pas ! »
Je lui dis :
« Et où courez-vous là ? »
Il me dit :
« Je cours à la banque ! »
Je lui dis :
« Ah !... Pour y déposer votre argent ? »
Il me dit :
« Non ! Pour le retirer !
Moi, je ne suis pas fou ! »
Je lui dis :
« ! ! Si vous n'êtes pas fou,
pourquoi restez-vous dans une ville

où tout le monde l'est ? »
Il me dit :
« Parce que j'y gagne un argent fou !...
C'est moi le banquier ! ! ! »

CEINTURE DE SÉCURITÉ

Mesdames et messieurs, je ne voudrais pas
vous affoler, mais des fous, il y en a !
Dans la rue, on en côtoie...
Récemment, je rencontre un monsieur.
Il portait sa voiture en bandoulière !
Il me dit :
« Vous ne savez pas comment
on détache cette ceinture ? »
Je lui dis :
« Dites-moi ! Lorsque vous l'avez bouclée,
est-ce que vous avez entendu un petit déclic ? »
Il me dit :
« Oui, dans ma tête ! »
Je me dis : « Ce type, il est fou à lier ! »
J'ai eu envie de le ceinturer...
mais quand j'ai vu que sa ceinture
était noire...
je l'ai bouclée ! ! !

TOURS DE CLEFS

Moi-même, il y a des moments où je me demande
si j'ai tout mon bon sens !
Quelquefois, je me pose la question !
Parce qu'il m'arrive des choses
que je ne peux pas expliquer !
Comment expliquez-vous ça ?
Exemple :
Je rentrais de voyage...
Je mets ma voiture au garage qui est juste
en face de chez moi...
Je sors ma valise...
Distrait, je garde la clef de la voiture à la main
... et... j'ouvre la porte de ma maison
avec la clef de ma voiture...
! ! Le temps de réaliser,
j'avais fait trente kilomètres !
Alors que la route n'était même pas glissante !
Je me suis dit :
« Bon ! Puisqu'en ouvrant la porte de ma maison
avec la clef de ma voiture,
j'ai fait trente kilomètres dans le sens de l'aller...
en fermant la porte avec cette même clef,
je vais faire trente kilomètres dans le sens du retour. »
Hop ! *(Geste de tourner la clef.)*
Je referme la porte à double tour !

Au lieu de faire trente kilomètres,
j'en ai fait soixante !
Je me suis retrouvé à trente kilomètres
de ma voiture, mais de l'autre côté !
Je me suis dit :
« Bon, je vais donner un simple tour de clef
et je vais regagner mon point de départ. »
Hop ! *(Geste de tourner la clef.)*
La maison qui cale !
Une maison qui venait de faire... combien ?...
quatre-vingt-dix kilomètres au quart de tour,
comme sur des roulettes... elle cale !
On ne sait pas pourquoi !
Alors, obligé de faire les trente kilomètres
à pied pour aller rejoindre ma voiture
et pour constater, devant ma voiture,
que j'avais oublié la clef de ma voiture
sur la porte de ma maison ! !
Alors, j'ai essayé d'ouvrir la portière
de ma voiture avec la clef... de la valise !
La voiture qui se fait la malle !
Obligé de refaire les trente kilomètres
en sens inverse, la voiture à la main,
en la tenant par la poignée, comme une valise !
En redoutant de rencontrer le type
avec sa voiture en bandoulière !
(*Rappel de « Ceinture de sécurité ».*)
Il m'aurait posé des questions idiotes, ce type !
C'est certain !
Je n'ai plus eu qu'une chose à faire,
c'est de remorquer ma maison
jusque dans mon garage pour y faire
les petites réparations nécessaires...
... Ce n'est pas la peine que je continue,
les gens ne me croient pas !
Je le vois bien !
Et ils ont raison. Ils ont raison !
C'est tellement énorme... ce que je raconte là !

C'est gros comme une maison !
D'ailleurs, les gens sont tellement gentils...
Ils voudraient me croire...
Ils me le disent :
« Monsieur, vous n'auriez pas une preuve
de ce que vous avancez ? Un témoin clef ? »
Et j'en ai un !
Il y a un spectateur qui est venu me voir,
il m'a dit :
« Monsieur, moi, j'ai vu votre maison
glisser sur la route !... Elle a croisé la mienne
qui glissait dans l'autre sens ! »
! ! !
C'est tellement énorme...
que...
je ne l'ai pas cru ! ! !

PETIT TRAVERS

L'artiste (ayant un lorgnon sur son nez):
Derrière mes verres, je vois tout petit !
(Regardant autour de lui)
Je vois un petit micro-micro !
Je vois un tout petit piano comme ça...
avec une toute petite queue...
Je vois un tout petit pianiste... comme ça...
avec...
Derrière mes verres, non seulement,
je vois tout petit,
mais je vois tout de travers !
Dans la rue, je marche de travers ;
je traverse de travers !
Il n'y a que dans les rues transversales
que ça marche à peu près droit !
Hier soir, je monte dans ma petite voiture...
Je mets mes verres de travers,
ma ceinture en travers.
Jusque-là, tout allait de travers...
mais bien !
Je fonce droit...
Et je vois à travers mon petit pare-brise
un petit car de police..
un mini-car... un quart de car...
En descend un petit gendarme à pied...

avec deux petits pieds...
Il brandit son petit bâton : Stop !
J'obtempère.
Ma petite voiture se met en travers.
Je vois dans mon petit rétro, derrière,
un petit camion...
(il en indique la dimension entre le pouce et l'index)
un petit poids lourd...
qui me prend à revers... Sloup !
... Je perds mes verres !
Et je vois... un immense agent de police,
avec un grand képi de travers...
deux gros yeux...
« Donnez-moi vos petits papiers ! »
d'une toute petite voix.
Je lui donne mes petits papiers...
Il sort son gros crayon vert et il écrit
sur une immense contravention...
mon petit nom !
« Un Vos !... »
« ? ?Non ! De(ux)... »
(L'artiste indique le chiffre de l'index et du majeur.)
Il me dit :
« C'est vous qui vous moquez de nos petits travers ?
Mettez votre petit autographe ! »
J'ai pris son gros crayon vert... et j'ai écrit
sur son immense contravention... mon grand nom.
...
Et ça m'a coûté une petite fortune ! ! !

QUI TUER ?

Un jour,
en pleine nuit...
mon médecin me téléphone :
« Je ne vous réveille pas ? »
Comme je dormais, je lui dis :
« Non. »
Il me dit :
« Je viens de recevoir du laboratoire
le résultat de nos deux analyses.
J'ai une bonne nouvelle à vous annoncer.
En ce qui me concerne, tout est normal.
Par contre, pour vous... c'est alarmant. »
Je lui dis :
« Quoi ?... Qu'est-ce que j'ai ? »
Il me dit :
« Vous avez un chromosome en plus... »
Je lui dis :
« C'est-à-dire ? »
Il me dit :
« Que vous avez une case en moins ! »
Je lui dis :
« Ce qui signifie ? »
Il me dit :
« Que vous êtes un tueur-né !
Vous avez le virus du tueur... »

Je lui dis :
« ... Le virus du tueur ? »
Il me dit :
« Je vous rassure tout de suite.
Ce n'est pas dangereux pour vous, mais pour ceux qui vous entourent... ils doivent se sentir visés. »
Je lui dis :
« Pourtant, je n'ai jamais tué personne ! »
Il me dit :
« Ne vous inquiétez pas... cela va venir !
Vous avez une arme ? »
Je lui dis :
« Oui ! Un fusil à air comprimé. »
Il me dit :
« Alors, pas plus de deux airs comprimés par jour ! »
Et il raccroche !
! ! !
Toute la nuit... j'ai cru entendre
le chromosome en plus qui tournait en rond
dans ma case en moins.
Le lendemain, je me réveille avec une envie de tuer...
irrésistible !
Il fallait que je tue quelqu'un. Tout de suite !
Mais qui ?
Qui tuer ?... Qui tuer ?
Attention ! Je ne me posais pas la question :
« Qui tu es ? »
dans le sens :« Qui es-tu, toi qui cherches qui tuer ? »
ou : « Dis-moi qui tu es et je te dirai qui tuer. »
Non !... Qui j'étais, je le savais !
J'étais un tueur... et un tueur sans cible !
(Enfin... sans cible, pas dans le sens du mot sensible !)
Je n'avais personne à ma portée.
Ma femme était sortie...
Je dis : « Tant pis, je vais tuer le premier venu ! »
Je prends mon fusil sur l'épaule... et je sors.
Et sur qui je tombe ?
Le hasard, tout de même !

Sur... le premier venu !
Il avait aussi un fusil sur l'épaule...
(Il avait un chromosome en plus, comme moi !)
Il me dit :
« Salut, toi, le premier venu !... »
Je lui dis :
« Ah non ! Le premier venu, pour moi, c'est vous ! »
Il me dit :
« Non ! Je t'ai vu venir avant toi
et de plus loin que toi ! »
Il me dit :
« Tu permets que je te tutoie ?
Je te tutoie et toi, tu me dis tu ! »
Je me dis :« Si je dis *tu* à ce tueur, il va me tuer ! »
Je lui dis :
« Si on s'épaulait mutuellement ?
D'autant que nous sommes tous les deux
en état de légitime défense ! »
Il me dit :
« D'accord ! »
On se met en joue...
Il me crie :
« Stop !... Nous allions commettre tous deux
une regrettable bavure...
On ne peut considérer deux hommes qui ont le courage
de s'entretuer comme des premiers venus !
Il faut en chercher un autre ! »
J'en suis tombé d'accord !
Là-dessus, j'entends claquer deux coups de feu
et je vois courir un type avec un fusil sur l'épaule...
Je lui crie :
« Alors, vous aussi, vous cherchez à tuer
le premier venu ? »
Il me dit :
« Non, le troisième ! J'en ai déjà raté deux !
Et tout à coup, je sens le canon d'une arme
s'enfoncer dans mon dos.
Je me retourne.

C'était mon médecin...
Qui me dit :
« Je viens vous empêcher de commettre un meurtre
 à ma place... »
Je lui dis :
« Comment, à votre place ? »
Il me dit :
« Oui ! Le laboratoire a fait une erreur.
 Il a interverti nos deux analyses.
 Le chromosome en plus, le virus du tueur,
 c'est moi qui l'ai ! »
Je lui dis :
« Docteur, vous n'allez pas supprimer froidement
 un de vos patients ? »
Il me dit :
« Si ! La patience a des limites.
 J'en ai assez de vous dire :
 " Ne vous laissez pas abattre ! " »
Je lui dis :
« Vous avez déjà tué quelqu'un, vous ? »
Il me dit :
« Sans ordonnance... jamais !
 Mais je vais vous en faire une ! »

QU'EST-CE QUI VOUS ARRIVE ?

L'artiste :
Tout à l'heure,
en arrivant ici...
Je croise un type...
Il était comme ça !
(L'artiste se rapetisse de quelques centimètres.)
La veille, je l'avais rencontré...
Il était comme ça !
(Il reprend sa taille normale.)
Et là, je le vois...
Il était comme ça !
(Il se rapetisse à nouveau.)
Je lui dis :
« Qu'est-ce qui vous arrive ? »
Il me dit :
« Ne m'en parlez pas !
Tout à l'heure, en arrivant ici,
je croise un type...
Il était comme ça !
(L'artiste se rapetisse de quelques centimètres de plus.)
La veille, je l'avais rencontré...
Il était comme ça !
(Il se redresse.)
Et là, je le vois comme ça...

(Il se rapetisse à nouveau de quelques centimètres.)
...effondré ! »
Je lui dis :
« Prenez une chaise ! »
Il me dit :
« Non ! Je préfère rester debout ! »
Je lui dis :
« Qu'est-ce qui vous arrive ? »
Il me dit :
« Ne m'en parlez pas !
Je viens de croiser un type...
Il était comme ça !
(Il se met à quatre pattes.)
La veille, je l'avais rencontré...
Il était comme ça !
(Il s'abaisse de quelques centimètres.)
« Et là, je le vois...
Il était comme ça !
(Il se redresse, mais toujours à quatre pattes.)
Je lui dis :
« Alors, ça va mieux ?... La situation se redresse ? »
Il me dit :
« Non ! Hier, j'étais comme ça...
(Il s'aplatit à nouveau.)
... parce que je cherchais quelqu'un !
Et aujourd'hui...
(Il se redresse, mais toujours à quatre pattes.)
Je l'ai retrouvé ! »
Je lui dis :
« ! ! Qui c'était ? »
Il me dit :
« C'était un type... Quand je l'ai croisé...
(Il se met à plat ventre.)
il était à plat !
La veille, je l'avais rencontré...
Il avait un certain relief !
Et là... il était... laminé ! »
Je lui dis :

« Qu'est-ce qui vous arrive, mon pauvre laminé ? »
Il me dit :
« Ne m'en parlez pas ! Je viens de croiser un type... »
(Là, l'artiste semble marquer une pause...
Après avoir regardé les spectateurs :)
Écoutez, mesdames et messieurs...
pour ceux qui auraient manqué le début de ce récit, les retardataires... et qui me surprendraient dans cette position dégradante... je vais faire un rapide résumé des chapitres précédents :
En arrivant ici, je croise un type...
(Tandis que se déroule le résumé, la voix d'abord voilée de lassitude devient progressivement inaudible.)
L'artiste (alors qu'il ne s'exprime plus que par gestes :)
Bon ! J'en arrive tout de suite au dernier chapitre...
Le type me dit :
« Est-ce que vous voyez quelqu'un là ?
(Il désigne un point sur le plancher.)
Je lui dis :
« Où ? »
Il me dit :
« Là ! ... »
Je lui dis :
« Là, je ne vois personne ! »
Il me dit :
« Hier, il était encore visible...
Et aujourd'hui, je l'ai perdu de vue ! »
(NOIR)
(L'artiste se remet debout.)
(PLEIN FEU)
L'artiste :
Et encore là... j'ai fait des coupures !
(C'est la version raccourcie.)
Si vous étiez venus hier, l'histoire était interminable.
Par exemple, j'ai coupé un chapitre qui commençait de la façon suivante :
Je viens de croiser un type...
non seulement, il était comme ça... *(très courbé)*

mais de plus, il avait un œil fermé !
La veille, je l'avais rencontré...
il avait déjà un œil fermé...
mais il se tenait comme ça... *(moins courbé)*
Et là, je le vois... *(de nouveau très courbé)*
l'œil toujours fermé !
Je lui dis :
« Qu'est-ce qui vous arrive ? »
Il me dit :
« Ne m'en parlez pas !
Ils ont baissé la serrure ! »
C'est un chapitre que j'ai coupé...
Il y en a un autre que j'ai supprimé aussi.
qui disait ceci :
Je viens de croiser une dame que je connaissais...
Je l'enlace ! Elle était comme ça !
(Il indique l'extrême minceur de la taille.)
La veille, je l'avais enlacée...
Elle était comme ça !
(Il indique l'extrême grosseur de la taille.)
Et là, je l'enlace... Elle était comme ça !
(Extrême minceur de la taille.)
Je lui dis :
« Qu'est-ce qui vous arrive ? »
Elle me dit :
« Hier, ce n'était pas moi ! »
Je l'ai coupé aussi !
Par contre, il y a un chapitre que j'ai coupé et que
j'aurais mieux fait de garder :
Je croise un type qui sortait de chez son percepteur...
Il était comme ça...
(L'artiste se rapetisse de quelques centimètres.)
La veille, je l'avais rencontré alors qu'il entrait
chez son percepteur...
Il était comme ça !
(Il se redresse.)
Et là, je le vois...
(Il se rapetisse.)

Je lui dis :
« Qu'est-ce qui vous arrive ? »
Il me dit :
« Hier, lorsque je suis entré chez mon percepteur,
j'étais comme ça... *(il se redresse)*
parce que je croyais que j'avais droit à un abattement. »
Je lui dis :
« Et ce n'était pas un abattement ? »
Il me dit :
« Non ! C'était un... *(il s'effondre)* redressement ! »

ÇA N'ARRIVE QU'À MOI

Les gens disent tous la même chose !
Ils disent tous, lorsqu'il leur arrive quelque chose :
« Ça n'arrive qu'à moi ! »
De temps en temps, il y en a un à qui il n'arrive
rien, qui ne dit pas comme tout le monde.
Il dit : « Ça n'arrive qu'aux autres ! »
Parce qu'il a entendu les autres dire :
« Ça n'arrive qu'à moi ! »,
il croit que ça n'arrive qu'à eux (aux autres) !
Alors que peut-être, il n'y a qu'à lui que ça arrive
de penser que ça n'arrive qu'aux autres !
Encore que lorsqu'il s'en aperçoit,
il dit comme les autres :
« Ça n'arrive qu'à moi ! »
Cela m'est arrivé... à moi !
Alors, si cela vous arrive...
je veux dire, si vous faites partie de ceux qui,
comme moi, disent : « Ça n'arrive qu'aux autres ! »,
posez-leur la question, aux autres !
« Qu'est-ce qui vous arrive? »
Ils vous répondront tous la même chose :
« Nous ne savons pas ce qui nous arrive,
  mais ça n'arrive qu'à nous ! »
Par contre, si vous faites partie des autres,
de ceux qui disent : « Ça n'arrive qu'à moi ! »,

posez-vous la question... à vous :
« Qu'est-ce qui t'arrive? »
Et vous verrez que ce qui vous arrive...
c'est ce qui arrive aux autres !
C'est ce qui arrive à tout le monde !
Et vous concluerez comme moi,
par cette petite phrase sibylline :
« Ce qui n'arrive qu'aux autres
n'arrive qu'à moi aussi ! »
Et vous vous sentirez solidaire !

LE PRIX DE L'ESSENCE

L'artiste (parlant de son pianiste) :
Il rouspète !
Il est toujours en train de rouspéter !
L'essence augmente...
L'essence va encore augmenter...
(Au pianiste et à la cantonade :)
Oh ! Eh !
Vous y mettez un peu du vôtre, hein !
Au lieu d'acheter des 25 et 30 litres,
vous n'avez qu'à faire comme moi :
vous n'avez qu'à en prendre pour cent francs !
(Au public :)
Moi, cela fait des années que j'en prends
pour cent francs...
J'ai toujours payé le même prix !
Il me dit :
« Oui, mais vous allez de moins en moins loin ! »
(A l'adresse du pianiste :)
« Je vais où je veux ! »

MA DEUX BŒUFS

J'ai failli être en retard...
parce que je suis venu en deux bœufs !
En deux bœufs... !
En France, on n'a pas de pétrole,
mais on a des idées !
Alors, j'ai troqué ma deux chevaux
contre une deux bœufs !
Vous l'avez peut-être aperçue,
devant la porte ?
C'est une deux bœufs blancs
tachés de roux !
Quand on me demande :
« Qu'est-ce que vous avez comme voiture ? »
Je réponds :
« J'ai une deux bœufs ! »
Les gens sont surpris !
Ils s'attendent à me voir arriver
en Rolls Royce... L'artiste !
Alors, quand ils me voient arriver
en deux bœufs, ils sont fort déçus !
Alors... les réflexions :
« Tiens ! Voilà la paire de bœufs
du père Deveaux ! »
Ça fait mal !...
Sur mon passage, les quolibets.
Les mamans à leurs petits :
Enfants, voici les bœufs qui passent !

Cachez vos rouges tabliers !
Alors, les enfants :
« Sauve qui bœufs ! »
Parce qu'une deux bœufs, ça pose des problèmes !
Exemple :
A un feu rouge, une deux chevaux s'arrête.
Pas une deux bœufs !
Parce que le rouge, ça l'excite !
Alors, elle fonce !
Quand c'est vert, elle broute !
Et pour faire repartir une deux bœufs
qui broute, ça fait : « Bœuf ! Bœuf ! Bœuf ! »
Cet après-midi, sur mon passage,
il y a un irresponsable qui a crié :
« Suivez le bœuf ! »
Alors, il y a un tas de gens qui ont suivi
avec des pancartes où il y avait marqué :
« Mort aux vaches ! »
Pour corser le tout, il y avait une affiche
de *La vache qui rit*.
On ne sait pas ce qui se passe
dans la tête des bœufs.
Mes bœufs ont-ils cru
que la vache se foutait d'eux ?
Toujours est-il qu'ils ont foncé
dans le panneau, tête baissée !
Vous savez que pour retenir un bœuf...
Un bœuf, ça enfonce tout !
C'est comme un bulldozer !
Et encore, un bulldozer,
on peut l'arrêter !
Pour arrêter un bulldozer,
vous n'avez qu'à couper
l'arrivée d'essence...
Il n'y a qu'à couper !
Mais un bœuf...
Qu'est-ce que vous voulez couper ?
Il l'est déjà ! ! !

LES NEUF VEAUX

Savez-vous ce qui s'est passé
lors de la dernière conférence
des Neuf sur l'Europe agricole ?
Pendant que les neuf ministres de l'agriculture
débattaient du prix du porc,
il y a un paysan mécontent
qui a fait entrer neuf veaux dans la salle.
Une confusion... !
On ne savait plus qui était qui !
A la fin de la conférence,
le paysan, au lieu de remporter ses neuf veaux,
dans la bousculade qui a suivi
n'en a remporté que huit !
Il a emmené un ministre avec.
On ne dit pas lequel !
Ce n'est qu'en arrivant sur le marché
qu'il s'en est aperçu.
Au moment de vendre les veaux,
il y en avait un qui était invendable.
C'était le... eh oui !
Parce qu'un ministre, ça ne se vend pas !
Ça s'achète parfois ! Mais ça ne se vend pas !
Une fois (je l'avoue à ma grande honte),
je me suis vendu pour pas cher,
et quand j'ai voulu me racheter,
je me suis payé un prix fou !

LE RIRE PRIMITIF

A propos du rire, vous savez qu'on l'a échappé belle ?
On l'a échappé belle !
Parce que le rire...
(comme chacun sait, ou ne sait pas)
le rire, c'est une énergie... une énergie contenue
qui se libère rapidement et, en se libérant,
elle (cette énergie) fait vibrer
les muscles les plus fragiles,
les plus vulnérables, qui se trouvent être
les zygomatiques...
(Il en fait la démonstration.)
Ha ! Ha ! Ha !
(Madame le fait très bien. Bravo, madame !)
Eh bien, supposez que les muscles fessiers...
ceux que l'on appelle les fessiers,
soient plus vulnérables que les zygomatiques,
on rirait comme ça...
(Il est secoué par une « vibration » des muscles fessiers.)
On l'a échappé belle !
(Prenant une chaise :)
Vous voyez toute une salle qui rit ?
(Il s'assied et rit par le truchement des fessiers.)
Désopilant !
(Sursautant sur sa chaise :)
Je pouffe !

Un rire crispé... cela ferait...
(Il se raidit sur sa chaise.)
« Rire aux éclats », je ne vois pas très bien
à quoi cela correspond !
(Il se lève et remet la chaise là où il l'a prise.)
On l'a échappé belle !
Attention !
Nos ancêtres riaient comme ça !
Les primitifs !
L'homme des cavernes !
Le rire caverneux... non... ça n'a rien à voir !
Mais les primitifs, ceux qu'on appelait les primitifs,
ils riaient comme ça.
Je n'ai rien contre les primitifs...
(Oh !... Hé... Grand Dieu !)
Ils ont tout inventé !
La pierre taillée.
Qui est-ce qui a inventé la pierre taillée ?
Un primitif !
Le feu.
Qui a inventé le feu ?
Un primitif !
C'était peut-être l'innocent du village.
Un jour qu'il ne savait pas quoi faire
de ses dix doigts, il a pris deux pierres,
une dans chaque main...
(aux innocents les mains pleines !)
Il a frotté les deux pierres l'une contre l'autre...
Zim ! Zim !
Et ça a tout de suite fait des étincelles !
Alors, le chef, un primitif aussi...
(primitif mais chef..., ce n'est pas incompatible !)
... tout d'abord, il n'a vu que du feu,
c'est-à-dire qu'il n'a vu que la fumée !
Mais comme il n'y a pas de fumée sans feu,
il a dit :
« Allez chercher le sorcier ! »
Le sorcier est arrivé...

(un sacré primitif aussi !)
Il a dit :
« Qu'est-ce qu'il y a ? »
Alors, le chef a dit :
« C'est l'innocent ! »
Il a dit à l'innocent :
« Refais devant le sorcier
ce que tu nous a fait tout à l'heure ! »
Et l'innocent, avec ses deux petites pierres :
Zim ! Zim !
Il a refait une petite flambée... !
Le sorcier a dit :
« Feu de Dieu !... Ça sent le roussi !
Il a joué avec les amulettes !
Il faut le brûler ! »
Le chef a dit :
« Avec quoi ? »
Alors, l'autre innocent a dit :
« Avec ça ! »
(Il fait le geste de frotter deux pierres l'une contre l'autre.)
Zim ! Zim !
Et il a mis le feu au bûcher qu'on venait de dresser pour lui !
Autour du bûcher, les primitifs...
ils devaient se taper le derrière par terre !
Alors, les réflexions :
« Heureusement qu'il n'a pas inventé la poudre !
Parce qu'en plus de le brûler,
il aurait fallu le faire sauter ! »
Il y en a un qui devait se taper le derrière
plus fort que les autres...
ça lui a durci les fessiers...
Les fessiers sont devenus moins vulnérables
que les zygomatiques... Le rire lui est monté à la gorge
et il a fait : « Ha ! Ha ! »
Il avait inventé le rire sonore !
On venait de passer du rire muet au rire parlant !

Les primitifs... ils ont tout inventé !
Tout !
Et moi, qui suis évolué...
(répondant à quelque contestataire :)... si !
Qu'ai-je inventé ?
(Après réflexion :)
Ah si ! Parce que l'histoire...
telle que je viens de vous la conter...
(attitude primitive :)
c'est moi qui l'ai inventée ! ! !

LE GRIMACIER

A force de faire des grimaces,
il arrive ce qu'on appelle
un relâchement des zygomatiques,
c'est-à-dire... Crac !
Un claquage musculaire !
Obligé de tout remonter à la main !
Ça donne une expression arbitraire,
comme ça... *(Démonstration.)*
Jamais vous ne verrez cette expression
nulle part !
Elle ne correspond à aucun sentiment.
Je peux même dire n'importe quoi dessous...
Ce que les gens voient ne correspond pas
à ce qu'ils entendent !
Parce que je suis un grand grimacier !
J'ai même représenté la France
au Festival international de la grimace !
Il y avait là tous les grands grimaciers du monde...
Moi, j'ai fait des grimaces bien de chez nous !
Je ris...
Je pleure...
La haine ! La colère !
Parce que la grimace, c'est international !
Il n'y a pas de frontière à la grimace.
Par exemple, si je tire la langue,

– excusez-moi, mesdames et messieurs –
c'est compris de tous !
Parce qu'une langue, c'est une langue !
C'est la même pour tout le monde !
Alors que si vous parlez la vôtre,
on dit : « Qu'est-ce qu'il dit ? »
Alors, on me dit :
« Mais monsieur, représenter la France
par des grimaces, c'est facile ! »
Pas du tout !
Avant, c'était facile, parce que la France
avait un profil de médaille.
Pour la représenter, il suffisait
de montrer son bon profil !
Tandis que maintenant, pour représenter
la France, il faut au moins ça...
(Affreuse grimace.)
C'est la France défigurée !
C'est pour cela que chaque fois
qu'il y a un Festival international
de la grimace et qu'il faut y représenter
dignement la France,
on envoie un clown...
un grimacier... !

J'AI LE FAUX RIRE

J'ai le faux rire !
Ha ! Ha !
Quelquefois, on me dit, le plus sérieusement du monde :
« Pourquoi, sur scène, portez-vous une perruque ? »
C'est faux ! Ou alors, c'est une fausse perruque !
Ce sont mes vrais cheveux, mesdames et messieurs,
mes cheveux de tous les jours que je me suis laissé
pousser comme on se laisse pousser la barbe !
Pourquoi ?
Parce que dessous, j'ai un crâne chauve, tout bosselé !
J'ai voulu enfoncer une porte ouverte.
Je suis rentré dedans la tête la première.
Non seulement, c'était une fausse porte,
mais en plus, elle était fermée !
Je me suis fait mal !
Depuis, j'ai sur le haut du crâne une bosse
en forme de chapeau pointu... Tur lu tu tu !
« Môssieur ? »
« Oui, môssieur ? »
« Pourquoi sur la piste vous maquillez-vous ?
  Vous avez l'air d'un vrai clown ! »
C'est faux !
C'est dans la vie que j'ai l'air d'un vrai clown !
Si vous voyiez mon visage de tous les jours,
il n'est pas présentable !

Là, vous ne pouvez pas vous en rendre compte
parce que j'ai un fond de teint !
Mais sous le fard, j'ai deux grandes paupières blanches
surmontées de deux sourcils en accent circonflexe !
Sous mon faux nez ...
(parce que le nez que je porte est faux
c'est un nez postiche, en carton-pâte !)
... dessous, j'ai un gros nez rouge lumineux !
Sous mes faux cils, là, j'ai deux petites
larmes-aux-yeux qui dégoulinent sur une grande
bouche fendue de là à là... *(Il fait le geste, d'une oreille à l'autre)*, si bien qu'on ne sait jamais
si je ris ou si je pleure !
Ha ! Ha !
J'ai le faux rire !
« Môssieur ? »
« Oui, môssieur ? »
« Pourquoi sur la piste vous déguisez-vous ?
Vous avez l'air d'un vrai clown ! »
C'est faux, c'est dans la vie que je me déguise.
Si vous voyiez mon costume de tous les jours,
il n'est pas présentable !
Là, vous ne pouvez pas vous en rendre compte
parce que j'ai mon costume de scène par-dessus,
mais sous mon pantalon bleu, j'en ai un rose bonbon
qui dégouline sur deux grands pieds plats immenses !
Là, vous ne pouvez pas les voir parce qu'ils sont
dans mes petits souliers !
J'ai mis mes grands pieds plats dans les petits !
Sous mon petit nœud où les petits pois sont verts,
j'en ai un gros où les petits pois sont rouges !
Il n'y a que le faux col qui soit vrai !
Ha ! Ha !
Tellement je ris, j'en ai mal à mon faux ventre !...
Parce que je suis un faux gros ventre, parfaitement !
J'ai la fausse bosse du ventre,

comme Polichinelle
avait la fausse bosse au dos.
Le drame, c'est que lorsque je rentre la fausse bosse du ventre,
j'ai la fausse bosse du dos qui sort !
De ventru, je deviens bossu !
Faux ventre, faux dos ! *(démonstration de l'artiste)*
Faux ventre, faux dos !
Et quand ça glisse, faux cul !
(Ah, fausse note !)
« Môssieur ? »
« Oui, môssieur ? »
« Pourquoi sur la piste vous contrefaites-vous ? »
« Mais je ne me contrefais pas, môssieur !
Je fais le chameau ! »
« Alors, qu'est-ce que vous attendez pour vous mettre à quatre pattes ? »
« J'attends les deux pattes de devant, môssieur !
Moi, je ne suis que les deux pattes de derrière.
Vous n'auriez pas vu passer une tête de chameau sur ses deux pattes avant ? »
« Ah si ! J'ai bien vu passer un chameau,
mais il était complet ! »
« Ça ne fait rien, môssieur,
je prendrai le suivant ! »

LE CLAIRON

L'artiste (prenant sur le piano un clairon) :
Je vais vous faire une petite sonnerie !
L'attaque !
L'attaque !
Si vous n'avez pas ça *(faciès)*,
vous ne pouvez pas attaquer...
Il faut jouer du violon !
Il faut se mettre en condition de l'attaque !
(Il joue les premières mesures
puis termine en pleurnichant :)
Excusez-moi !
Chaque fois que je sonne l'attaque,
je repense à mon grand-père !
Parce que mon grand-père a rendu son dernier souffle dans ce clairon !
Sur le champ de bataille, s'il vous plaît !
Il sonnait l'attaque... et...
l'ennemi a attaqué...
Il a pris un boulet dans le pavillon...
Sloup !
Il a avalé l'embouchure...
Gloup !
Et il a rendu l'âme...
Rhaah !
Lorsqu'on a rapporté son clairon à sa veuve,

elle a dit :
« Mais quelle idée aussi d'aller faire
de la musique dans un moment pareil ? »
Alors, mon père a repris le flambeau.
Parce que mon père a fait toutes les guerres
en tant que clairon.
D'ailleurs, pour mon père,
la guerre, c'était une belle sonnerie...
Il les a toutes faites !
Il a sonné toutes les attaques de la guerre
14-18, et toutes les retraites
de la guerre 39-45 !
Et il est mort à la retraite
d'une attaque dans son lit !
Le destin !
Attention :
Il y a sonnerie et sonnerie !
Il ne faut pas se tromper de sonnerie...
Exemple :
Ouvrez le ban... *(Il le joue sur son clairon.)*
Fermez le ban... *(Il le joue également.)*
C'est la même chose !
Alors, le soldat qui n'a pas entendu
qu'on ouvrait le ban
quand on le ferme, il croit qu'on l'ouvre !
Alors, il attend qu'on le ferme !
Quand on l'ouvre à nouveau,
il croit que c'est la fermeture
et il rentre chez lui !
C'est comme ça qu'on perd les guerres !
Parce que les clairons...
(j'allais dire : ils sont tous un peu
sonnés. Excusez-moi !)
En ce qui concerne mon voisin, c'est vrai !
Mon voisin, c'est mon professeur de clairon...
Déjà, pendant la guerre, il était porte-drapeau.
Il a tellement pris l'habitude de brandir un drapeau,
que depuis qu'il n'a plus de drapeau,

il ne brandit plus !
Il est hébété !
Parce qu'un homme qui ne brandit plus,
il est hébété
Quelquefois, j'entends sa femme
qui lui crie :
« Mais brandis autre chose ! »
Il lui dit :
« Non ! C'est un drapeau ou rien ! »
Elle lui dit :
« Accroche un drap blanc au bout d'un manche à balai
et brandis-le ! »
Alors lui :
« Capituler ?... Jamais ! »
De plus, il n'a pas d'oreille !
Il n'entend pas ce qu'il joue !
Alors, quand il me donne une leçon,
il me dit :
« Écoutez ! »
(L'artiste joue une note filée puis
porte l'embouchure à son oreille,
se servant du clairon comme d'un cornet
acoustique.)
On perd un temps fou !

PRÊTER L'OREILLE

« Mesdames et messieurs,
 si vous voulez bien me prêter une oreille attentive... »
Quelle phrase !
Voulez-vous me prêter l'oreille ?
Il paraît que quand on prête l'oreille,
on entend mieux.
C'est faux !
Il m'est arrivé de prêter l'oreille à un sourd,
il n'entendait pas mieux !
Il y a des phrases comme ça...
Par exemple, j'ai ouï dire qu'il y a des choses
qui entrent par une oreille
et qui sortent par l'autre.
Je n'ai jamais rien vu entrer par une oreille
et encore moins en sortir !
Il n'y a qu'en littérature qu'on voit ça.
Dans Rabelais, nous lisons que
Gargamelle a mis Gargantua au monde
par l'oreille gauche.
Ce qui sous-entend que par l'oreille droite...
il devait se passer des choses !
Des cris et des chuchotements !
De quoi vous faire dresser l'oreille !
Alors, on me dit :
« Mais monsieur, quand on parle de choses qui entrent

par une oreille et qui ressortent par l'autre,
on ne parle pas de choses vues
mais de choses entendues. »

J'entends bien !
Un son peut entrer par une oreille
mais il n'en sort pas !
Par exemple, un air peut très bien entrer
dans le pavillon de l'oreille.
Une fois entré, il ne sort plus !
Je prends un air au hasard,
un air qui me traverse... la tête :
Viens dans mon joli pavillon !
Eh bien, dès qu'il est entré dans le pavillon,
il n'en sort plus ! C'est fini !
C'est ce qu'on appelle une rengaine.
Une rengaine, c'est un air qui commence
par vous entrer par une oreille
et qui finit par vous sortir par...
les yeux !

OUÏ DIRE

Il y a des verbes qui se conjuguent
très irrégulièrement
Par exemple, le verbe OUÏR
Le verbe ouïr, au présent, ça fait :
J'ois... j'ois...
Si au lieu de dire « j'entends », je dis « j'ois »,
les gens vont penser que ce que j'entends est joyeux
alors que ce que j'entends peut être
particulièrement triste.
Il faudrait préciser :
« Dieu, que ce que j'ois est triste ! »
J'ois...
Tu ois...
Tu ois mon chien qui aboie le soir au fond des bois ?
Il oit...
Oyons-nous ?
Vous oyez...
Ils oient.
C'est bête !
L'oie oit. Elle oit, l'oie !
Ce que nous oyons, l'oie l'oit-elle ?
Si au lieu de dire « l'oreille »,
on dit « l'ouïe », alors :
l'ouïe de l'oie a ouï.
Pour peu que l'oie appartienne à Louis :

« L'ouïe de l'oie de Louis a ouï. »
« Ah oui ?
Et qu'a ouï l'ouïe de l'oie de Louis ? »
« Elle a ouï ce que toute oie oit... »
« Et qu'oit toute oie ? »
« Toute oie oit, quand mon chien aboie
le soir au fond des bois,
toute oie oit :
ouah ! ouah !
Qu'elle oit, l'oie !... »
Au passé, ça fait :
J'ouïs...
J'ouïs !
Il n'y a vraiment pas de quoi !

LE PETIT POUSSIN

Récemment, je suis entré
dans une auberge pour y dîner et sur la carte,
il y avait marqué : « Poussin rôti ».
Et... j'ai commandé un poussin rôti.
J'ai vu arriver un petit poussin...
dans une assiette... Hamm ! ! !
Je n'en ai fait qu'une bouchée
dans mon gros ventre !
Un petit poussin !
Vous avez déjà vu un petit poussin ?
C'est mignon à croquer !
C'est une petite boule jaune...
Ça fait : cui-cui...
Il n'était pas cuit !
Et je n'en ai fait qu'une bouchée
dans mon gros ventre !
Ça aurait été une vieille poule, encore...
Bon !
Une dure à cuire... elle a vécu !
(Elle a fait son temps !)
Mais un petit poussin... !
J'aurais mieux fait d'aller me faire cuire un œuf !
Oh, ça ne vaut guère mieux !
Chaque fois qu'on va se faire cuire un œuf,
c'est comme si on envoyait
un poussin se faire cuire !

Parce que, qu'est-ce qui fait le poussin ?
C'est l'œuf !
Et encore... on ne sait plus !
Il y a ce fameux dilemme que chacun connaît :
Qu'est-ce qui fait l'œuf ?
C'est la poule ! Bon !
Jusque-là, il n'y a rien à dire.
On est tous d'accord.
Mais qu'est-ce qui fait la poule ?
... C'est l'œuf !
Alors, la question est :
Qui a commencé ?
Est-ce l'œuf le père de la poule,
ou la poule la mère de l'œuf ?
Ça ne peut pas être le coq !
Les coqs, eux, ne pondent pas d'œufs !
Quoiqu'il n'y ait pas de poules sans eux ! (oœufs)
Sans eux... les coqs !
Comme il n'y a pas de coqs sans elles... (ailes)
Sans elles, les poules !
Évidemment ! Parce que sans ailes,
il n'y aurait ni coqs,
ni poules, ni poussins !
Et ce serait tant mieux !
Parce que j'aurais mangé autre chose !
J'aurais mangé du veau...
Un petit veau !
Vous avez déjà vu un petit veau ?
Un vieux bœuf... bon !
Passe encore. Il a vécu... !
Mais un petit veau...
Vous avez déjà vu une petite tête de veau... ?
A la vinaigrette !
!!!
J'aurais mieux fait de manger un œuf,
parce que, comme on dit,
qui mange un œuf
mange un bœuf !!!

ALIMENTER LA CONVERSATION

Mesdames et messieurs,
avez-vous remarqué qu'à table les mets
que l'on vous sert vous mettent les mots à la bouche ?
J'en ai fait l'observation
un jour que je dînais seul.
A la table voisine...
il y avait deux convives qui mangeaient
des steaks hachés...
Et tout en mangeant,
ils alimentaient la conversation.
Au début du repas,
tandis que l'un parlait,
l'autre mangeait ... et inversement !
L'alternance était respectée.
Et puis...
les mets appelant les mots
et les mots les mets...
ils se sont mis à parler et à manger
en même temps :
« Ce steak n'est pas assez haché disait l'un »,
« Il est trop haché pour mon goût disait l'autre ! »,
Les mots qui voulaient sortir
se sont heurtés aux mets qui voulaient entrer...
(Ils se télescopaient !)
Ils ont commencé à mâcher leurs mots et

à articuler leurs mets !
Très vite, la conversation a tourné au vinaigre.
A la fin, chacun ayant ravalé ses mots
et bu ses propres paroles,
il n'y eut plus que des éclats de « voie » digestive
et des « mots » d'estomac !
Ils ont fini par ventriloquer...
et c'est à qui aurait le dernier rôt !
Puis l'un d'eux s'est penché vers moi.
Il m'a dit :
« Monsieur, on n'écrit pas la bouche pleine ! »
Depuis, je ne cesse de ruminer mes écrits !
Je sais...
Vous pensez :
« Il a écrit un sketch alimentaire,
un sketch haché ! »
Et alors ?
Il faut bien que tout le monde mange !

LE MILLE-FEUILLE

L'artiste (essayant de fermer sa veste):
Regardez...
(Il tente de boutonner sa veste sans y parvenir.)
Je peux presque la boutonner.
J'ai terriblement maigri...
Avant, les pans m'arrivaient ici...
(Il recule les deux pans de sa veste de plusieurs centimètres.)
Et aujourd'hui... tenez !
(Il rapproche les deux pans qui ne sont pas très loin de se toucher. Il refait le mouvement comme un tailleur se mesurerait la taille.)
J'ai terriblement maigri !
A la suite d'un pari que j'ai fait
et que je ne regrette pas...
Figurez-vous que récemment, à la fin d'un bon repas,
tandis que l'on apportait les pâtisseries,
quelqu'un me dit :
« Pourquoi n'écririez-vous pas un monologue
sur la faim... la faim dans le monde ? »
J'ai dit :
« Parce que ce ne serait pas drôle ! »
Il me dit :
« Si ! Si c'est vous qui crevez de faim,
les gens vont mourir de rire ! »

J'ai dit :
« S'il n'y a que ça pour les amuser, d'accord !
Je m'y mets et tout de suite ! »
J'ai repoussé les pâtisseries et j'ai quitté la table.
Comme j'avais un peu oublié ce que c'était que d'avoir faim, j'ai fait maigre...
J'ai jeûné... j'ai jeûné...
Cela s'est vu tout de suite.
L'entourage :
« Tiens ? Le vieux jeûne ! »
Dès que je me suis senti le ventre creux...
(de l'intérieur),
j'ai compris que la faim était proche !
Je suis rentré chez moi et j'ai écrit
le commencement de la faim.
J'ai commencé par la faim :
« Il était une fois... la faim ! »
Et pendant toute l'histoire,
je n'ai fait que parler de la faim... la faim...
la faim...
Si bien qu'à la fin, j'ai été pris d'une telle fringale...
J'ai fourré mon manuscrit dans ma poche.
Je me suis précipité chez le pâtissier le plus proche,
et devant la pâtisserie, il y avait un pauvre
qui mendiait :
« Monsieur, s'il vous plaît ? »
Je lui dis (ce que je réponds toujours en pareil cas) :
« J'ai déjà donné ! »
« Oh ! il me dit, pas à moi !
Je suis un nouveau pauvre,
je ne suis encore sponsorisé par personne ! »
Je lui dis :
« Que ne le disiez-vous ! »
Je lui donne une pièce en lui disant :
« Surtout, dites bien partout que c'est moi
qui vous l'ai donnée ! »
Il me signe un reçu pour mes impôts...
et il s'engouffre à l'intérieur de la pâtisserie.

Je jette un coup d'œil derrière la vitre...
et je vois... parmi des pâtisseries de toutes sortes...
un mille-feuille... épais comme ça...
avec de la crème entre chaque feuille, qui débordait...
nappé de sucre glace blanc...
Aussitôt, j'entends une voix intérieure qui me dit :
« Tu ne vas tout de même pas manger ce mille-feuille
à toi tout seul ? »
Et puis, une autre voix intérieure, encore plus profonde,
qui me dit : « Chiche ! »
(Oh, j'en étais bien capable !)
Et puis, une troisième voix intérieure que je ne me
connaissais pas :
« Tu vas partager ce mille-feuille en trois.
Tu en donneras deux tiers au tiers monde
et tu garderas le troisième pour toi ! »
Là, je me suis dit :
« Je ne voudrais pas marchander...
mais deux tiers pour le tiers monde,
est-ce que cela ne fait pas un tiers de trop ?
Et puis... est-ce que cela leur parviendra ? »
Pour peu qu'il y ait un intermédiaire peu scrupuleux,
qui se moque du tiers monde comme du quart,
qui détourne un des deux tiers à des fins personnelles,
je préférerais manger les trois tiers en entier !
Au moins, je saurais où ça va !
Et puis la question s'est posée :
« Où manger un pareil mille-feuille ? »
On ne peut pas manger un pareil mille-feuille
devant tout le monde ! Ce serait indécent.
Il faut se cacher !
Mais où ? Où se cacher ?
Dans une église ?... Peut-être.
Oui, dans une église !
Oui, mais si le curé me surprend ?
... Je ferai semblant de feuilleter...
*(Il fait le geste de tourner les pages d'un livre pieux...
tout en humectant son doigt censé être plein de crème)...*

Non !... Derrière un pilier ?
Oui, mais il y a Dieu là-haut qui voit tout...
Dieu :
« Alors, on joue les Don Camillo ?
Moi qui te prenais pour la crème des hommes... »
Moi :
« Seigneur, ce ne sont que de pauvres feuilles ! »
Lui :
« Oui ! Mais il y en a mille !
Pense à ceux qui ont faim, homme de peu de foi...
Pour ta pénitence, tu me copieras cent fois le mot faim...
et sans fin, le mot foi ! »
J'ai pensé : « Je ferais peut-être mieux de prendre une religieuse... »
Et tout à coup, qui je vois derrière la vitre ?
(Je vous le donne en mille !)
Une religieuse... une vraie... authentique...
nappée de... *(se reprenant)*
coiffée de... deux gaufrettes... *(se reprenant)*
deux cornettes en...
Enfin... elle désignait mon mille-feuille du doigt !
Alors, j'ai frappé à la vitre :
« Hé, ma sœur ! Non, non !
Il est à moi, ce gâteau...
Vous pouvez faire une croix dessus ! »
Comme elle semblait ne pas comprendre,
j'ai essayé de l'influencer... mentalement :
« Non, non ! Pas ce mille-feuille !
Tu ne vas pas prendre ce mille-feuille !
Tu vas prendre une tarte...
Tu vas la prendre, la tarte ! »
Pour plus de sécurité, je suis entré dans la pâtisserie et j'ai entendu la religieuse :
« Donnez-moi vingt-quatre nonnettes !
c'est pour les pauvres de la paroisse... »
La vendeuse :
« Et vous, madame ? »

La dame :
« Pour mes pauvres à moi, je voudrais
douze éclairs au chocolat ! »
Et dans un coin, il y avait mon pauvre... qui disait :
« Est-ce que je pourrais avoir... ? »
La vendeuse :
« Une seconde, s'il vous plaît !
Et vous, madame ? »
« Je voudrais vingt babas au rhum,
c'est pour mes pauvres... »
Et mon pauvre, dans son coin :
« Est-ce que je pourrais avoir... ? »
La vendeuse :
« Une seconde, s'il vous plaît !
Et vous, madame ? »
La dame :
« Pour mes pauvres, je voudrais
des chaussons aux pommes ! »
La vendeuse :
« Combien ? »
« Quinze paires ! »
Et dans son coin, mon pauvre :
« Est-ce que je pourrais avoir... ? »
La vendeuse (excédée) :
« Une seconde, non !
Vous voyez bien que tout le monde s'occupe de vous !
Et vous, monsieur ? »
« Moi, je voudrais ce mille-feuille-là ! »
Et je vois, de l'autre côté de la vitre,
deux grands yeux qui me regardaient...
un petit visage d'enfant... blême... (amaigri)...
Cela m'a rappelé des images insoutenables...
que je croyais effacées de mon esprit...
Là, j'ai dit :
« On ne rit plus !
Là, on ne peut plus rire ! »
La vendeuse :
« C'est pour manger tout de suite ? »

J'ai dit :
« Non, c'est pour offrir ! »
J'ai pris le mille-feuille. Je l'ai payé et je suis sorti...
Je l'ai donné au gosse.
(Après un certain silence qui devrait être chargé d'émotion :)
Ce qui m'a fait le plus plaisir... c'est que le gosse est allé se cacher derrière moi pour le manger !
D'autant que les gens s'étaient arrêtés !
Une maman disait à sa petite fille :
« Tu le reconnais ? C'est le comique qui fait la grève de la faim... pour nous distraire ! »
Et la petite fille :
« Maman, qu'est-ce que ça mange, un comique ? »
Alors là, l'homme de spectacle que je suis a repris le dessus ! J'ai sorti mon manuscrit de ma poche...
J'ai mordu dedans à pleines dents...
(Petite pantomime de celui qui dévore un mille-feuille.)
« Oh, qu'il est bon ! »
Et j'ai mangé tout mon manuscrit, feuille après feuille... sauf la dernière !
Alors, les gens qui veulent toujours connaître
le mot de la fin :
« Pourquoi ne mangez-vous pas la dernière feuille ? »
J'ai dit :
« Eh !
Et la part du pauvre ? »

LA CHUTE ASCENSIONNELLE

L'artiste (jonglant avec trois petites boules rouges) :
Avant, je jonglais avec trois boules de trois kilos...
Et puis, j'ai pris une boule sur la tête !
Alors, j'ai réduit le matériel.
A un moment, je lançais une boule de trois kilos
à trois mètres de hauteur,
et au moment où elle devait me tomber sur la tête,
je faisais ça... *(un écart)*
et la boule tombait là ! *(à côté de ses pieds)*.
Un soir, je lance ma boule de trois kilos
à trois mètres de hauteur...
Au moment où elle devait me tomber sur la tête,
je fais ça... *(il fait un écart)* et je la prends dessus !
Je me suis tassé de trois centimètres !
Tenez !
(Il va chercher la boule et la montre.)
La voilà !
Ce ne sont pas des paroles en l'air !
Alors, on a dit :
« Oui... Depuis que Devos a pris une boule
sur la tête, il n'est plus comme avant...
il est mieux ! »
Et c'est vrai ! ! !
Grâce au ciel !
Parce qu'avant, j'étais un mécréant !

Je ne croyais ni à Dieu ni à Diable !
Je me permettais de questionner le Ciel :
« Dieu... si tu es là-haut,
envoie-moi une preuve de ton existence ! »
Et Lui... (signe qu'il l'a bien reçu)
Vlaff !
(Il laisse tomber la boule sur le sol.)
Irréfutable !
C'est comme si le Ciel m'était tombé sur la tête !
Quand je me suis retrouvé à genoux,
j'ai compris que j'avais la foi !
Une foi inébranlable !
Parce que même avec Dieu,
il ne faut pas tenter le Diable !
Alors, on a dit...
(Que n'a-t-on pas dit !)
« Oui... Si Dieu a envoyé une boule sur la tête
de Devos, c'est pour qu'on parle de Lui ! »
...Pas de moi... de Dieu !
Moi, je n'en ai pas besoin !
Eh bien, mesdames et messieurs,
depuis que j'ai pris
cette boule sur la tête,
je lévite...
... *(précisant :)* je lévite... du mot léviter...
la lévitation... je m'élève... je quitte le sol...
je m'élève dans les airs... de ça, à peu près...
(il montre la hauteur avec la main à l'horizontale).
Alors, les gens :
« Pourquoi ne montez-vous pas plus haut ? »
C'est que si j'arrive à vaincre la pesanteur, je
ne la supprime pas... et Dieu merci !
Parce que si on supprimait la pesanteur,
cette boule... *(il la ramasse)*
au lieu de tomber comme une pierre,
elle s'élèverait dans les airs... comme un ballon !
Et moi avec !
Je tomberais en haut !

Et là-haut, il n'y a pas de fond !
C'est l'éternelle chute !
Parce que, lorsqu'on tombe dans un gouffre,
il y a un fond...
On le dit : « J'ai touché le fond. »
Ou bien on se raccroche à une racine, je ne sais
quoi... Mais là-haut ?
À quoi voulez-vous vous raccrocher ?
A une nébuleuse ?...
Je tomberais en haut... la chute ascensionnelle !
Les gens :
« Où est Devos ?
– En pleine ascension ! »
L'irrésistible ascension de Devos !
« Que fait-il là-haut ?
– Il tourne autour de sa boule, comme un satellite... Il
 est à son apogée !
– Quand redescendra-t-il parmi nous ?
– Dieu seul le sait ! »
Devos super-star !
L'inaccessible étoile !
Alors, lorsque je serais devenu invisible,
les controverses :
« S'est-il envolé vers la gloire
 ou est-il tombé dans l'oubli ?»
Alors, les uns, les inconditionnels :
« Devos existe... je l'ai rencontré ! »
Les autres, les mécréants :
« Devos, si tu es là-haut...
 envoie-nous une preuve de ton existence ! »
Alors moi...
(il laisse tomber lourdement la boule sur le sol :)
La voilà, la preuve!

UN ANGE PASSE

On dit parfois que j'extravague...
que je délire...
Pourtant, il n'y a pas plus raisonnable que moi !
Il n'y a pas d'esprit plus cartésien que le mien !
Je ne fais que rapporter les faits
tels que je les observe.
Il est évident qu'il y a observer et observer !
Cela dépend du sens que l'on donne au mot « observer ».
Exemple :
Quand on demande aux gens d'observer le silence...
au lieu de l'observer, comme on observe une éclipse
de lune,
ils l'écoutent... et tête baissée, encore !
Ils ne risquent pas de le voir, le silence... !
Parce que les gens redoutent le silence.
Ils le redoutent !
Alors, dès que le silence se fait,
les gens le meublent.
Quelqu'un dit : « Tiens ? Un ange passe ! »
alors que l'ange, il ne l'a pas vu passer !
S'il avait le courage, comme moi,
d'observer le silence en face,
l'ange, il le verrait !
Parce que, mesdames et messieurs,
lorsqu'un ange passe, je le vois !

Je suis le seul, mais je le vois !
Évidemment que je ne dis pas que je vois
passer un ange,
parce qu'aussitôt, dans la salle,
il y a un doute qui plane !
Je le vois planer, le doute !...
Évidemment que je ne dis pas que je vois
planer un doute parce qu'aussitôt,
les questions :
« Comment ça plane, un doute ? »
– Comme ça ! *(Geste de la main qui oscille.)*
– Comment pouvez-vous identifier un doute
avec certitude ?
A son ombre !
L'ombre d'un doute, c'est bien connu... !
Si le doute fait de l'ombre,
c'est que le doute existe... !
Il n'y a pas d'ombre sans doute !
Et l'on sait le nombre de doutes au nombre d'ombres !
S'il y a cent ombres, il y a cent doutes.
Je ne sais pas comment vous convaincre ? !
Je vous donnerais bien ma parole,
mais vous allez la mettre en doute !
Le doute... je vais le voir planer...
Je vais dire :
« Je vois planer un doute. »
Aussitôt, le silence va se faire...
Quelqu'un va dire :
« Tiens ? Un ange passe ! »
Et il faudra tout recommencer !
A propos de l'ange, aussi, on m'en pose
des questions insidieuses:
« Dites-moi, votre ange-là,
de quel sexe est-il ? »
Alors là... *(geste de la main qui oscille)*,
je suis obligé de laisser planer un doute,
parce que je n'en sais rien !
« D'où vient-il ? »

Il va vers sa chute !
Parce que l'ange, attiré par la lumière des projecteurs
s'y précipite...
Ébloui, l'ange s'y brûle les ailes et l'ange choit !
Et un ange qui a chu est déchu ! !
Mesdames et messieurs... à la mémoire de tous les anges
qui sont tombés dans cette salle,
nous allons observer une minute de silence...
(L'artiste voyant « passer » un ange, les gens rient.)
(L'artiste avec un geste de la main qui oscille :)
Il n'y a que des doutes qui planent !

L'INCONNU DU 11 NOVEMBRE

A propos de minute de silence,
le 11 Novembre dernier,
j'étais sous l'Arc de Triomphe.
Le président de la République
était en train de ranimer la flamme du tombeau.
Toute l'armée française
était sur le pied de guerre...
au repos !
Tout à coup, à côté de moi,
j'observe un soldat qui ne m'était pas inconnu...
! !...
Profitant de la minute de silence,
je lui dis...
(parce que l'on peut en dire, des choses,
pendant une minute de silence) :
« Dites-moi, votre visage ne m'est pas inconnu ? »
Il me dit :
« Ça m'étonnerait ! Personne ne me connaît !
Moi-même, je ne me connais pas ! »
Je lui dis :
« Pourtant, vous faites bien partie d'un bataillon ? »
Il me dit :
« Oui, mais j'y suis inconnu ! »
... ! !
Je lui dis :

« Vous êtes inconnu au bataillon ?...
  Pourtant, vous avez bien un nom ? »
Il me dit :
« Oui. On m'appelle " Hep ! " »
Je lui dis :
« Hep ?... Ce n'est pas un nom ! »
Il me dit :
« Non, c'est un diminutif !
  Mon véritable nom, c'est :
  " Hep ! Toi là-bas, oui toi ! " »
! !...
Et puis, la minute de silence se termine.
Je relève la tête...
Il n'était plus là !
...
Et puis, tout à coup,
je crois le reconnaître.
Je lui crie :
« Hep ! Toi là-bas, oui toi ! »
...
Le président de la République se tourne vers moi...
Il me dit :
« Moi ? »
Je lui réponds :
« Non, pas toi ! »
... Je ne l'avais pas reconnu !

IL Y A QUELQU'UN DERRIÈRE

L'artiste est seul sur scène.
Après s'être retourné rapidement plusieurs fois :
C'est drôle... !
Tout à coup, j'ai eu l'impression
qu'il y avait quelqu'un derrière moi !
Cela m'arrive parfois
quand je suis tout seul.
Tout à coup, j'ai l'impression
qu'il y a quelqu'un derrière moi.
Je me retourne... et puis,
il n'y a personne !
Cela arrive à d'autres aussi !
Je ne sais plus qui me disait
qu'il connaissait un monsieur qui,
lorsqu'il était tout seul,
avait toujours l'impression
qu'il y avait quelqu'un derrière lui.
Alors, il se retournait tout le temps...
Et finalement, il n'y avait jamais personne !
Et il ajoutait :
« Il doit être détraqué ! »
Je lui dis :
« Détraqué, c'est vite dit !
D'abord, comment savez-vous qu'il n'y avait
personne derrière lui, puisqu'il était tout seul ? »

Il me dit :
« Parce que j'étais là ! »
Je lui dis :
« Donc, il y avait quelqu'un ! »
Il me dit :
« Il ne pouvait pas me voir.
J'étais derrière ! »
Je lui dis :
« Oui ! Mais ça justifiait son impression.
Et à part vous, derrière lui,
il n'y avait personne ? »
Il me dit :
« Non, j'étais tout seul ! »
Je lui dis :
« Ah oui !... Mais alors, qui me prouve
que ce n'est pas vous qui avez eu l'impression
qu'il y avait quelqu'un devant vous ? »
!!!!
« Hé ! Cela justifierait tout !
Vous avez eu l'impression qu'il y avait
quelqu'un devant vous, lequel forcément
vous donnait l'impression qu'il y avait
quelqu'un derrière, puisque vous y étiez ! »
Il avait du mal à me suivre, hein !
Il me dit :
« D'abord, s'il n'y avait eu personne devant,
je l'aurais vu ! »
Je lui dis :
« C'est justement quand il n'y a personne devant
qu'on ne la voit pas ! »
Là, il ne me suivait plus du tout !
Et pourtant, j'avais toujours l'impression
qu'il était derrière moi.
A un moment, je me retourne...
et puis, il n'y avait personne !...
Ça justifie ce que je viens de vous dire.
Vous me suivez, là ?
Alors, écoutez... !

(Directement au public :)
S'il vous arrive, comme à moi en ce moment,
d'avoir l'impression qu'il y a quelqu'un derrière vous,
ne vous retournez pas !
Parlez-lui.
(S'adressant, sans se retourner, à quelqu'un qui est censé être derrière lui :)
« Je sais que vous êtes derrière moi, vous savez...
Vous pouvez rester ; ça ne me dérange pas !
Maintenant, ce que vous y faites... »
(Interrogeant le public :)
Qu'est-ce qu'il fait ?
Il fait des grimaces...
C'est ce qu'ils font tous,
quand ils sont derrière vous,
ils font des singeries... les primitifs !
Si vous permettez, je voudrais vérifier une chose !
Parce que là, j'ai l'impression qu'il y a
quelqu'un derrière moi...
Je me demande, si je me retournais...
Est-ce que j'aurais l'impression
qu'il y a quelqu'un devant ?
(Il se retourne.)
C'est drôle !
J'ai toujours l'impression qu'il y a
quelqu'un derrière ! ! !

SUPPORTER L'IMAGINAIRE

La force de l'imaginaire !
On s'imagine que l'imaginaire,
c'est léger... c'est futile !
Alors que c'est primordial !
Seulement, il faut faire attention !
Lorsqu'on a la prétention, comme moi,
d'entraîner les gens dans l'imaginaire,
il faut pouvoir les ramener dans le réel,
ensuite... et sans dommage !
C'est une responsabilité !
Parce que vous entraînez les gens dans
l'imaginaire et puis, il y en a qui vont
plus loin que vous ! Et vous rentrez tout seul !
Pendant un certain temps, sur scène,
je mimais un monsieur qui a soif et qui boit...
et qui fume !
Je commençais par mimer les objets...
Pour bien mimer les objets,
il faut les sentir, de telle sorte
qu'ils finissent par exister...
aux yeux des autres, pas aux miens !
(Moi, je ne suis pas dupe. Je suis l'artiste !)
Je commence par mimer un monsieur qui se roule
une cigarette... *(Il mime ce qui suit :)*
Le papier... le tabac...

Je passe les détails...
Il se les roule lui-même !
On voit la cigarette, là ?
Merci beaucoup !
La langue, on la voit ?
Boîte d'allumettes...
(Il mime celui qui, par deux fois, craque une allumette sortie de sa boîte, allumette qui casse.)
(A la troisième fois, il allume réellement une cigarette. La rejetant loin de lui :)
Rhahh !
Là, je suis allé trop loin !
Je recommence...
C'est un monsieur qui a soif et qui boit
... et qui a cessé de fumer parce que
ce n'est pas bon pour sa santé !
Je commence par mimer les objets...
On voit bien le verre, en transparence ?
La bouteille... on la sent bien ?
Elle est flagrante !
Moi, j'ai tellement l'habitude
que j'arrive à voir l'étiquette.
Vous, vous ne pouvez pas la voir...
Forcément, elle est là...
(Il retourne rapidement sa main.)
Là, il faut faire vite,
sans cela, on voit tout !
Je commence par me servir un verre de vin...
(Il le mime puis mime celui qui boit.)
Il est bon... et puis, il est frais !
Alors, quand il fait chaud dans la salle,
les gens... *(il se passe la langue sur les lèvres)*.
Au quatrième verre, j'arrête !
Parce qu'il y a des gens qui se lèvent
et qui se rendent au bar !
Il y en a d'autres qui montent
sur le plateau pour trinquer avec moi !
Cela m'est arrivé...

Un jour, un monsieur du premier rang...
il monte sur le plateau...
il me tend son verre... enfin,
il me tend la main...
Je la lui sers... enfin... je la lui remplis.
Il la boit.
Il me dit :
« C'est un bon cru ! »
Je lui dis :
« Je le crois ! »
Il me dit :
« Allez, on remet ça ! »
Je lui dis :
« Une seconde !
L'imaginaire, c'est comme tout !
Il ne faut pas en abuser !
Parce que tout à l'heure... »
(Geste de monter à la tête.)
Le temps que je fasse ça, je le vois qui fait ça...
(Geste de rattraper quelque chose.)
Je lui dis :
« Qu'est-ce qu'il y a ? »
Il me dit :
« Heureusement que je l'ai rattrapée ! »
Je lui dis :
« Quoi ? »
Il me dit :
« La bouteille !
Quand vous avez fait ça... *(il le refait)*
vous l'avez lâchée ! »
Il y croyait, à l'imaginaire !
Il me rend la bouteille...
Ce n'était plus la même !
Elle avait augmenté de volume...
Parce que, comme il avait la main
plus large que la mienne...
(Moi, j'ai une main qui tient à peu près un litre...
Voyez !... La sienne faisait au moins un litre et demi !)

Comme j'y gagnais, je n'ai rien dit !
Lui, il n'a vu que du feu.
Il buvait toutes mes paroles,
et comme je parlais beaucoup,
à un moment, je le vois qui titubait...
Moi, je titubais aussi...
(Mais moi, je n'étais pas dupe. Je suis l'artiste !)
Je lui dis :
« Dites-donc ! Vous êtes venu en voiture ici ?
C'est vous qui conduisez ? »
Il me dit :
« Oui !... C'est moi qui porte ma voiture
en bandoulière ! »
(Rappel de « Ceinture de sécurité ».)
Je lui dis :
« Écoutez ! Il faut être raisonnable...
Il faut regagner votre siège ! »
Il me dit :
« D'accord ! »
Comme il ne tenait plus debout,
je lui glisse le mien.
Il s'y laisse choir... bien !
Rien à dire !
Il me dit :
« Allez, montez ! Je vous ramène ! »
Moi, je n'étais pas dupe :
mais je suis monté quand même !
A un moment, il regarde sa main...
Je lui dis :
« Qu'est-ce que vous regardez ?
C'est la carte routière ? »
Il me dit :
« Non ! C'est la carte des vins...
C'est pour éviter les bouchons ! »
Il me dit :
« Allez, en route ! »
Quand j'ai vu comment il conduisait...
je lui dis :

« Attention !
J'ai l'impression qu'il y a quelqu'un devant ! »
Il me dit :
« Moi, j'ai plutôt l'impression qu'il y a
quelqu'un derrière ! »
Je lui dis :
« C'est vous qui avez raison !
C'est parce que je regardais dans le rétroviseur !
Dites donc ! Il y a un gendarme qui nous suit...
Il y a un gendarme qui nous suit !
Arrêtez ! Surtout, ne vous retournez pas !
Laissez-moi lui parler !
(S'adressant à quelqu'un derrière :)
Gendarme ! Je sais que vous êtes derrière moi,
vous savez ! Non, non, vous pouvez rester !
Ça ne me dérange pas !
Je sais que d'où vous êtes, vous devez avoir
l'impression de voir devant vous une voiture
qui fait ça... *(geste zig-zag)*
et vous vous dites que c'est parce que
le conducteur... *(geste qu'il est éméché)*. »
Le temps que je fasse ça...
je vois l'autre qui fait ça... *(geste de rattraper la bouteille)*.
Je lui dis :
« Cachez la bouteille !
Ce n'est pas le moment de la montrer... »
Je dis au gendarme :
« Tout ça, c'est de l'illusion !
C'est moi qui ai entraîné ce spectateur
dans l'imaginaire... Or, ce spectateur
ne supporte pas l'imaginaire ! »
Et à ma grande stupeur, j'entends la voix
d'un gendarme me répondre :
« Que vous soyez dans l'imaginaire, c'est normal,
vous, vous êtes l'artiste !
Mais moi, je suis gendarme et je ne suis pas dupe ! »
Alors là, j'ai dit au spectateur :
« Écoutez !... Je crois que nous sommes allés

trop loin dans l'imaginaire !
Il faut faire machine arrière et en vitesse ! »
Il me dit : « D'accord ! »
Il met le moteur en route... il met en marche arrière...
Crrr !
J'entends comme un bruit de képi écrasé !
Un choc ! Plus de voiture !
Il n'y avait plus que le siège et moi dessus, évidemment !
Moi, j'en suis sorti indemne...
(Je n'étais pas dupe... Je suis l'artiste !)
Mais le spectateur... Moi, j'ai l'impression
qu'il y est resté, dans l'imaginaire...
Parce que je n'ai retrouvé ni le verre... ni la bouteille !

LES OMBRES D'ANTAN

La lumière s'éteint brutalement.
L'artiste (allumant une bougie) :
Les plombs ont sauté !
Le pianiste : Mais non ! C'est par économie !
L'artiste (se promenant, la bougie allumée à la main) :
C'est par économie ! C'est par économie !
Épargnons ! Épargnons !
C'est le mot d'ordre du ministre des Finances !
Épargnez ! Épargnez ! Et je vous épargnerai !
Alors, pour faire des économies d'électricité,
ils ont réduit au minimum les feux de la rampe.
Moi-même, qui ne suis pas une lumière,
je me suis mis en veilleuse... !
J'économise ! J'économise sur tout !
J'économise ma salive...
je ne dis plus qu'un mot sur deux.
Exemple : Quand on me demande comment ça va,
au lieu de répondre « très bien »,
je réponds « très » et le bien qui me reste,
je cours le déposer à ma banque !
Regardez !
Oh, la belle obscurité ! Oh, que c'est beau !
Il y a longtemps que je n'avais vu
une telle obscurité !
On ne sait plus ce que c'est que l'obscurité

A force de vouloir faire la lumière
sur tout, on ne distingue plus rien !
Écoutez ! Je croyais connaître cet endroit...
Eh bien, à la faveur de la pénombre,
j'y découvre des choses...
Regardez !... regardez ce coin sombre !
(L'artiste indique le côté cour :)
Tout à l'heure, à la lumière,
il passait inaperçu !
(Se dirigeant vers la cour :)
Où est-il passé ?
(Revenant au centre :)
Ah ! Ce que c'est beau !
Ce sont les ombres d'antan !
On n'en fait plus des comme celles-là !
Les ombres, pour bien les voir,
il faut les regarder à la lueur d'une bougie !
(Citant Brassens :)
Moi, mes amours d'antan, c'était de la grisette,
Margot la blanche caille et Fanchon la cousette !
Où sont les plombs ?
A la cave... ?
Ah ben, voilà la cave, tiens !
(L'artiste mime l'ouverture d'une trappe
par laquelle il descend.)
Je ne vois pas très bien, mais enfin...
(Il mime la descente d'un escalier tournant,
s'appuyant d'une main contre la paroi :)
Je ne vois pas très bien les marches !
A dire vrai, je ne les vois pas du tout !
Il fait froid !
Il fait froid et humide...
ça suinte de partout !
Atchoum ! !
(Se tournant vers la trappe fictive :)
La porte, s'il vous plaît !
(Se promenant dans la pièce :)
C'est une cave, ça ?

(Arrivant près du piano :)
Ah !... il y a des bouteilles !
(Revenant vers le centre et levant sa bougie :)
Oh !... c'est une grotte !
(Promenant sa bougie :)
Il y a des fresques sur les murs.
(Levant sa bougie :)
Oh ! mais c'est plein de têtes de bison,
là-haut !
Il y a des inscriptions là ?
(Il promène sa bougie sur une paroi fictive.)
« Attention à la peinture ! »
Ça ne date pas d'hier, ça !
Il y a des graffiti paléolithiques...
Et là ?... « L'imagination au pouvoir. »
Ça date !
Et là... ?
Oh ! mais il y a des ossements ?
(L'artiste relève sa jambe de pantalon et éclaire son mollet.)
Oh, un tibia !
(Il relève l'autre jambe et l'éclaire.)
J'ai le même !
(S'approchant du piano :)
Qu'est-ce que c'est que ça ?
C'est un sarcophage ?
(La lueur de la bougie éclaire le pianiste assis au piano.)
Oh, un crâne !
Ça, c'est l'homme de Cro-Magnon !
Quelle belle matière à réflexion !
(Se tournant vers le fond cour :)
Ah, voilà le compteur !
*(Il s'en approche et manœuvre une manette fictive.
La lumière revient.)*
(Hébété, il regarde autour de lui et aperçoit le pianiste.)
Vous êtes le pianiste de ce piano ?
(Les gens riant, il les « découvre ».)
Qui sont ces gens ?

Le pianiste :
C'est un spectacle !
L'artiste :
Ah ! C'est un spec-ta-cle !
J'ai dû me tromper d'endroit...
J'ai dû faire une fausse manœuvre.
(Il repart à l'endroit du compteur fictif et en manœuvre la manette en sens contraire. L'obscurité revient.)
L'artiste (cherchant à s'orienter) :
J'ai dû descendre trop bas !
(Il repère l'escalier et en mime la montée jusqu'à l'arrivée sur le palier.)
Je suis déjà venu ici... je suis venu ici...
Je connais cet endroit !
Ah, c'est ici que j'ai fait mes débuts !
Je mimais le funambule, sur ce fil.
Il y avait un escalier, là !
(Musique.)
(L'artiste mime la montée sur la plate-forme, puis quelques pas sur le fil...)
Je n'ai plus l'habitude...
Je ne vois plus le fil...
Je suppose qu'il est là...
C'est dangereux...
parce que je m'appuie sur une simple supposition !
Je suppose qu'il est là...
(son pied glisse sur le sol devant lui),
mais il pourrait aussi bien
être ici...
(son pied glisse sur le côté)
ou là...
(son pied glisse de l'autre côté. S'appuyant dessus :)
Tenez !
C'est une question d'imagination !
L'imagination, c'est fabuleux !

L'APPARITION DE LA PARENTE

L'artiste (s'adressant à quelqu'un en coulisse côté cour) :
Comment ?... La dame est là ?
Bravo !
(Au pianiste :)
La dame est là !
(Devant son air interrogatif :)
C'est une dame que j'ai invitée.
Elle est arrivée.
(A la dame :)
Une seconde, madame, je vous présente tout de suite !
(Au public :)
Mesdames et messieurs, je vais vous présenter
une dame. C'est une proche parente à moi,
une proche parente. Elle s'appelle madame Close.
Dans le temps, elle tenait une agence de voyages.
(Après avoir jeté un coup d'œil en coulisse, baissant le ton :)
Je vous signale tout de suite qu'elle est
assez extravagante.
Figurez-vous qu'il y a quelque temps,
elle a donné une très grande réception chez elle.
Elle m'y a invité... Je m'y suis rendu...
Elle m'a reçu dans l'entrée :
« Venez que je vous présente à mes invités ! »
Elle m'a fait entrer dans un salon éclairé aux bougies...
où il n'y avait personne !

Mais... personne ! !
Et là, elle m'a présenté un tas de gens :
« Je vous présente monsieur Untel ! »
L'artiste (serrant une main imaginaire) :
« Enchanté !
– Madame Unetelle !
– Oh... ! » *(Même jeu. Baise-main.)*
Il y avait un monde là-dedans !
Au bout d'un certain temps
que je jugeais raisonnable, j'ai dit :
« Madame il est tard. Il faut que je me rende au
théâtre... le public m'attend. »
Elle me dit :
« Oh... j'aimerais tellement le connaître, votre public ! »
Je lui dis :
« Madame, à la première occasion,
je vous le présenterai ! »
L'occasion se présentant, je vais vous la présenter...
Il y en a pour deux minutes :
Entrez, madame !
Venez !... Venez !...
(Il va la chercher en coulisse et tend son bras qui disparaît derrière le pendrillon cour.)
(Au public :)
Elle n'ose plus !
(Il prend par le bras une « présence » concrétisée par le spot d'une poursuite et revient au centre de la scène.)
L'artiste (à la dame fictive) :
Je vous présente le public, madame !
(Au public :)
La parente en question !...
La parente, pas l'apparente !
(Lorsque le public applaudit, l'artiste à la dame) :
C'est pour vous... ils vous applaudissent !
Vous êtes contente ?
(Un temps.)
Ah non !
(Explication au public :)

Elle veut chanter !
Allez !
Non ! Non ! Il faut être raisonnable. Venez !
(La tenant toujours par le bras, il amorce une sortie.)
(Au pianiste :)
Dites ? Voulez-vous avoir l'obligeance de raccompagner cette dame en coulisse, s'il vous plaît ?
(Le pianiste se levant et « prenant » le bras de la dame) :
Bien sûr ! Venez, madame !
(Le pianiste se dirige vers la coulisse côté jardin.)
L'artiste (avec un petit signe de main) :
Je vous téléphonerai, madame !
Comme le pianiste et la dame vont pour sortir
l'artiste (au public) :
Vous voyez qu'il croit n'importe quoi ! ! !

LA QUATRIÈME DIMENSION

Attention ! Madame Close existe...
Madame Close existe,
je l'ai rencontrée...
dans un univers parallèle...
dans ce que l'on appelle
la quatrième dimension !
Parce que cette quatrième dimension,
tout le monde en parle et puis personne
n'y est jamais entré, finalement !
Parce que c'est un milieu très fermé.
Si vous n'avez pas de relations,
vous n'entrez pas, là-dedans !
Moi, j'y suis entré par accident...
Figurez-vous qu'un jour, j'étais chez moi...
Tout à coup, j'entends : uitte !
C'était une lettre que le postier
venait de glisser sous la porte.
Je l'ouvre...
C'était une invitation de madame Close
à une réception qu'elle donnait
le soir même en sa maison.
Je n'avais rien d'autre à faire.
Je me dis : « Je vais y aller ! »
Je m'habille, je sors...
Je passe chez la fleuriste

pour y acheter quelques fleurs...
chez la crémière pour y acheter
quelques petits-beurres et petits fours.
Et j'arrive devant la maison Close
dont la porte était ouverte...
Et là, j'entends la voix de la concierge
qui me dit :
« Monsieur, la maison Close est fermée ! »
Je lui dis :
« Pourtant, la porte est ouverte, madame ! »
Elle me dit :
« Oui ! Mais la maison est close... »
Je lui dis :
« Écoutez... j'ai une invitation de madame Close... »
Elle me dit :
« Quelle madame Close ? »
Je lui dis :
« C'est une proche parente à moi.
  Dans le temps, elle tenait une agence de voyages. »
Elle me dit :
« C'est au 36e étage ! »
Je lui dis :
« Merci, madame ! »
Je vais prendre l'ascenseur...
(Il mime la scène.)
J'ouvre la grille de l'ascenseur...
Je rentre dans l'ascenseur...
Je referme la grille,
je vais pour appuyer sur le bouton...
? ? ? Il n'y en avait pas !
Pas de boutons dans un ascenseur ?
Je me dis :
« Ça doit s'expliquer.
  Il y a une explication à tout !
  Tant pis, je vais prendre l'escalier. »
Je sors de l'ascenseur,
je vais pour prendre l'escalier...
et je m'aperçois que l'escalier

ne dépassait pas le plafond !
Je me dis :
« Ça doit s'expliquer.
Il y a une explication à tout ! »
Je vais voir dehors...
et je m'aperçois que l'immeuble
n'avait pas d'étages...
Eh bien, ça expliquait pourquoi,
dans l'ascenseur, il n'y avait pas de boutons !
Je dis à la concierge :
« Madame la concierge,
il n'y a pas de 36e dessus ! »
Elle me dit :
« Mais le 36e, ce n'est pas au-dessus
c'est en dessous ! »
Effectivement, l'escalier qui ne montait pas
descendait...
J'arrive dans les 36e dessous.
Je tombe sur un mur au milieu duquel
il y avait un trou de serrure.
Intrigué, j'y glisse un œil.
Qu'est-ce que je vois ?
Mon œil qui était passé de l'autre côté !
Je me dis :
« Ce n'est pas possible ! »
J'enfonce mon doigt dans la serrure,
je me le fourre dans l'œil !
Je retire ma main... et je m'aperçois
que mon doigt était resté dans la serrure...
Je me dis :
« C'est peut-être mon doigt, la clef ? »
A l'aide des doigts qui me restaient,
je tourne mon doigt dans la serrure...
Il n'allait pas !
Ce n'était pas le bon doigt !
J'essaie l'autre... Trop gros !
Tout le trousseau de doigts y est passé...
Aucun doigt n'allait !

Machinalement pour réfléchir,
je m'appuie contre le mur et... uitte !
Je passe au travers !
Vous ne pouvez pas savoir ce que c'est que
de passer à travers un mur !
La jouissance qu'on éprouve !
Parce que la quatrième dimension,
ce n'est pas autre chose !
C'est passer au travers de...
A travers tout !
C'est le voyage dans l'espace !
Et je me retrouve chez moi !
Tout à coup, j'entends : uitte !
C'était une lettre que le postier
venait de glisser sous la porte !
Je l'ouvre...
C'était une invitation de madame Close
à une réception qu'elle donnait
le soir même en sa maison.
Donc, je n'avais pas rêvé !
Là, je me suis dit :
« Non seulement, je peux voyager dans l'espace
mais en plus, je peux voyager dans le temps ! »
Alors, comme j'avais le temps, je me dis :
« Je vais y aller ! »
Je vais pour sortir et...
je m'aperçois que ma porte d'entrée
était fermée à clef... mais de l'extérieur !
Intrigué, je glisse un œil
dans le trou de la serrure.
Qu'est-ce que je vois ?
Mon œil qui était passé de l'autre côté !
Cela ne m'a pas tellement surpris,
parce que ce n'était pas la première fois !
J'enfonce mon doigt...
je me le refourre dans l'œil !
Comme quoi, on fait toujours les mêmes bêtises !
Et là, je réalise que puisque

je suis dans la quatrième dimension,
je n'ai pas à passer par la porte ;
je n'ai qu'à traverser le mur,
comme tout le monde !
Uitte !
Je passe à travers le mur !
Dehors, le ciel était dégagé...
je m'en souviendrai toujours,
parce que je me suis fait l'observation suivante :
« Tant mieux ! Tant qu'à faire qu'à voyager dans le temps,
il vaut mieux que le temps soit beau ! »
J'arrive devant la fleuriste...
Uitte ! Je passe au travers comme une fleur !
La crémière... comme dans du beurre !
J'arrive devant la poste, je la franchis...
comme une lettre !
Et j'arrive devant la maison Close
dont la porte était fermée...
donc, la maison était ouverte !
Et je tombe (sur qui ?) sur la concierge...
une créature de rêve... à trois dimensions !
Je vais pour l'étreindre...
Uitte !... Je passe au travers !
Là, je me suis dit :
« Voyager dans le temps, c'est bien !
Mais il faudrait pouvoir s'arrêter
l'espace d'un instant ! »
Et je tombe dans les 36e dessous...
(musique blues)
sur madame Close qui me dit :
« Venez que je vous présente à mes invités ! »
Elle me fait entrer dans un salon éclairé aux bougies
et là, elle me présente un tas de gens :
« Je vous présente monsieur Untel !
– Je le connais bien ! Comment allez-vous ?...
– Ça va, merci !
– Madame Unetelle !
– Mes hommages, madame ! »

J'ai serré et baisé des mains...
Il y avait un monde, là-dedans !
« Bonjour ! Content de vous voir...
Je vous verrai tout à l'heure ! »
Au bout d'un certain temps
que je jugeais raisonnable, je lui dis :
« Madame, il est tard.
Il faut que je me rende au théâtre !
Le public m'attend. »
Elle me dit :
« Mon pianiste va se faire un plaisir
de vous raccompagner jusqu'au théâtre ! »
(Le pianiste se lève...
prend le bras de l'artiste
et le dirige vers la coulisse.)
L'artiste (s'éloignant côté jardin, à la dame) :
« Je vous téléphonerai... ! »

LE BOUT DU TUNNEL

Mesdames et messieurs,
si vous le permettez
je vais vous montrer le bout d'un tunnel...
Rares sont ceux qui dans le réel,
ont vu le bout d'un tunnel !
D'ailleurs, dans un tunnel,
il n'y a que le bout d'intéressant !
Le reste, c'est noir...
Le tunnel est ici !
(Il balaie de sa lampe encore éteinte le plateau dans toute sa largeur.)
Est-ce que vous voyez le tunnel,
mesdames et messieurs ?
(A la cantonade)
Envoyez le tunnel, je vous prie !
(La scène est soudain plongée dans l'obscurité.)
Là, vous le voyez ?... Merci beaucoup !
(L'artiste allume sa lampe électrique.)
Le tunnel est ici. L'entrée est là...
et le bout est là-bas !
Un type veut voir le bout du tunnel.
Il entre dans le tunnel...
Il le traverse...
Vous me suivez ?... Un par un, s'il vous plaît
sans cela, ça va bouchonner...

Arrivé au bout du tunnel, il est déçu...
Il dit :
« Ce bout de tunnel ressemble étrangement
à une entrée ! »
Il demande au lampiste :
« Le bout du tunnel, c'est bien ici ? »
Le lampiste lui dit :
« Non ! Ici, c'est l'entrée du tunnel ! »
Le type :
« Alors, où est le bout du tunnel ? »
Le lampiste :
« A l'autre entrée ! »
Le type :
« Mais j'en viens ! »
Le lampiste :
« Eh bien, il faut y retourner ! »
Le type se dit : « Si j'avais su que le bout du tunnel
était à l'entrée...
je n'aurais pas fait toute cette traversée pour rien !
Il repart.
Ce qu'il ignore, c'est que la traversée du tunnel
est plus longue dans ce sens-là que dans l'autre...
Ne me demandez pas pourquoi,
je ne saurais vous le dire !
Arrivé au milieu du tunnel,
comme il n'en voit pas encore le bout
et qu'il n'en distingue déjà plus l'entrée...
il se pose avec angoisse la question :
« Me serais-je égaré ? »
Il sort de sa poche le plan du tunnel détaillé...
et il constate que pour le bout du tunnel...
c'est tout droit !
On ne peut pas se tromper !
Il n'y a qu'à longer les murs et marcher à tâtons.
Comme il a un vocabulaire restreint,
Il dit :
« Zut ! J'ai oublié d'emporter mes tâtons !
Avec quoi vais-je marcher ? »

Il ignore que « marcher à tâtons »,
c'est mettre un bras devant l'autre
sans regarder où on met les pieds...
Tout à coup, il entend venir un train...
(Au public :)
Vous entendez venir le train, mesdames et messieurs ?
Bon, je vais vous le faire entendre...
(Il en fait l'imitation sonore en exécutant quelques pas de claquettes... Il termine par un coup de sifflet strident...)
Tutt !
Vous avez entendu venir le train,
mesdames et messieurs ?
Le public : Oui !
L'artiste : Merci beaucoup !
Le train passe...
(Balayant rapidement de sa lampe le plateau dans toute sa largeur.)
Il est passé !... C'est un rapide !
Avez-vous vu passer le train,
mesdames et messieurs ?
Je vais vous le repasser au ralenti...
(Il passe sa main sur le faisceau de la lampe-torche qu'il retire rapidement, donnant ainsi la vision que peut avoir un voyageur sur un quai de gare, la nuit, regardant défiler devant lui les fenêtres éclairées d'un train qui ne s'arrête pas...)
On peut même distinguer les gens à l'intérieur !
Et à l'intérieur du train, il y a un voyageur
qui voit au milieu du tunnel un lampiste
qui fait ce que je fais...
Il ne saura jamais pourquoi.
Alors, le monsieur continue son chemin bêtement,
en mettant un pied devant l'autre sans regarder
où il met les bras...
Et soudain, il aperçoit dans la pénombre, là-bas,
un petit point lumineux...
(Il le crée avec sa lampe.)
Il dit :

« Ça y est ! C'est le bout du tunnel...
 J'en reconnais l'entrée ! »
Il prend quelques photos-souvenirs... Flashes !
(L'artiste « mitraille » le « bout » du tunnel avec le faisceau de sa lampe torche.)
Et il sort en disant :
« Ça y est ! J'ai vu le bout du tunnel ! »
Comme personne ne le croit, il dit :
« Demandez au pianiste de Devos...
 il est témoin de la scène... il a tout vu !
 C'est même lui qui a les photos ! »
(Éclairant de sa lampe le visage du pianiste :)
« C'est vrai ? C'est vous qui avez les photos ? »
Le pianiste : Oui ! Vous voulez les voir ?
L'artiste : Les photos?... J'aimerais bien !... Merci !
(Tandis que le pianiste, muni de sa lampe torche, va se placer à la cour... l'artiste éteint sa lampe et va se placer côté jardin.)
Le pianiste : Le type entrant dans le tunnel !
(Il projette son rayon lumineux sur l'artiste qui entre-temps a pris la pose.)
Le pianiste (après avoir éteint sa lampe) : Le même, l'air égaré, regardant son plan...
(Il éclaire à nouveau l'artiste qui lui-même éclaire sa main avec sa propre lampe. Les deux lampes s'éteignent.)
Le pianiste : Le train qui passe au ralenti...
On peut même distinguer les gens à l'intérieur !
(Le pianiste éclaire par flashes, le visage de l'artiste censé représenter celui de différents voyageurs. A chaque « figure », l'artiste change d'expression... Après cinq figures caractéristiques de voyageurs...)
Le pianiste : Le type sortant du tunnel !
(L'artiste prend une dernière pose.)
Le pianiste (au public) : Vous voyez qu'il croit n'importe quoi !
(Le plein feu revient sur scène.)

L'ESPRIT FAUSSÉ

L'artiste (au pianiste) :
On a tous un peu l'esprit faussé...
Vous savez comment on en arrive
à avoir l'esprit faussé ?
Je vais vous le dire...
Par exemple :
Au début, je voulais mettre une cravate...
Ma femme me disait :
« Quelle cravate veux-tu mettre ?
Veux-tu mettre cette cravate-ci
ou cette cravate-là ?... »
Je lui disais :
« Tiens, je vais mettre cette cravate-ci ! »
Elle me disait :
« Mais pourquoi ?...
Cette cravate-là est tellement mieux ! »
Et je mettais cette cravate-là !
Et puis un jour, j'ai compris !
Quand ma femme m'a dit :
« Quelle cravate veux-tu mettre ?
Veux-tu mettre cette cravate-ci ou cette cravate-là ? »
comme je voulais mettre cette cravate-ci...
je lui ai dit :
« Je voudrais mettre cette cravate-là ! »
Elle m'a dit :

« Oh, pourquoi ? Cette cravate-ci
est tellement mieux !... »
Et j'ai mis cette cravate-ci... *(jubilant)*,
c'est-à-dire celle que je voulais !
(Au pianiste :) Vous comprenez ?
Le pianiste : ! ! Oui ! Oui !
L'artiste : Il n'a pas compris...
Je veux dire par là qu'on en arrive à demander
le contraire de ce que l'on veut !
C'est comme ça qu'on a l'esprit faussé !
Bon, autre exemple :
Je voulais acheter une paire de bretelles...
La vendeuse me dit :
« Quelles bretelles voulez-vous ?
Voulez-vous cette paire de bretelles-ci
ou cette paire de bretelles-là ? »
Comme je voulais cette paire de bretelles-ci,
je lui ai dit :
« Donnez-moi cette paire de bretelles-là ! »
Et elle m'a vendu celle-là ! !
(Ce faisant, il montre la sienne.
Le pianiste se penche pour voir.)
Ce n'est pas celle-ci ! Ah, non !
Parce que lorsque je suis rentré,
ma femme m'a dit :
« Oh ! Pourquoi as-tu acheté cette paire de bretelles-ci ? »
Je lui ai dit :
« Mais je ne voulais pas cette paire de bretelles-ci !...
Je voulais cette paire de bretelles-là,
mais la vendeuse m'a vendu celle-ci ! »
Elle me dit :
« Qu'est-ce qu'elle a, celle-là ? »
Le pianiste (se penchant) : Qu'est-ce qu'elle a ?
L'artiste : En parlant de la vendeuse !
Elle a repris cette paire de bretelles-ci
et elle m'a rapporté celle-là... *(jubilant)*,
c'est-à-dire celle que je voulais !
(Au pianiste :) Vous comprenez ?

Le pianiste (sans conviction) : ! ! ... Oui ! Oui !
L'artiste : Autre exemple :
Je voulais acheter une bicyclette...
La vendeuse me dit :
« Quelle bicyclette voulez-vous ?
Voulez-vous cette bicyclette-ci ou cette bicyclette-là ? »
Je lui dis :
« Quelle différence y a-t-il entre cette bicyclette-ci
et cette bicyclette-là ? »
Elle me dit :
« Il y a une différence de selle. »
Le pianiste : ! !
L'artiste : Je lui dis :
« Donnez-moi cette bicyclette-ci
avec la selle de celle-là ! »
Elle me dit :
« Mais la selle de cette bicyclette-là
ne va pas sur cette bicyclette-ci...
Comme la selle de cette bicyclette-ci
ne va pas sur cette bicyclette-là ! »
Le pianiste : ... ! !
L'artiste : Je lui dis :
« Vous n'avez pas d'autres bicyclettes que celles-ci ? »
Elle me dit :
« Si !... Mais elles n'ont pas d'autres selles que celles-là ! »
Le pianiste : ! !
Alors, je lui ai posé la question subsidiaire :
« Ont-elles des sonnettes ? »
Elle me dit :
« Sur cette bicyclette-ci,
vous avez cette sonnette-là qui fait *si*...
Et sur cette bicyclette-là,
vous avez cette sonnette-ci qui fait *la*... »
Alors, histoire de plaisanter,
je lui dis :
« Vous n'auriez pas une sonnette qui fasse *do bémol* ? »
Elle l'a très mal pris !
Le pianiste : Ah oui ?

L'artiste : Ah oui ! Très mal !
Elle m'a dit :
« Monsieur, voulez-vous cette bicyclette-ci
ou cette bicyclette-là ? ? ? »
Je lui ai dit :
« Donnez-moi... un vélomoteur ! »
Elle me dit :
« Lequel, le rouge ou le vert ? »
Je lui dis :
« Le rouge ! »
Et je suis sorti avec le vert,
parce que je suis daltonien !
Le pianiste : Vous êtes daltonien ?
L'artiste : Je suis daltonien.
J'ai toujours été daltonien... Ah oui !
Tout petit, j'étais déjà un petit daltonien.
Il y a beaucoup de daltoniens...
Je connais un daltonien pervers.
Chez lui, tout le processus était inversé.
Il voyait comme tout le monde... Un malade !
Tous les écologistes sont daltoniens !
Ils voient vert partout !
Et quand ils ne voient pas vert,
ils voient rouge !
Si bien que lorsqu'ils vont voter...
ils croient voter vert et...
(sous-entendu : ils votent rouge !)
(Rires du pianiste et du public.)
L'artiste : Ils votent blanc ! ! !

LE SAVOIR CHOIR

Son pianiste ayant chu de son tabouret,
l'artiste (au public) :
Vous avez vu comme il a chu ?
(Au pianiste :)
Quand on ne sait pas choir... on ne choit pas !
(Au public :)
Les gens ne savent plus choir !
Ils savent s'asseoir...
mais ils ne savent plus choir !
Ils s'imaginent que choir, c'est déchoir...
Choir n'est pas déchoir !
Un homme qui a chu n'est pas déchu...
à condition qu'il choie bien !
Comme disait mon père :
« Où que tu chois, chois bien ! »
Parce que mon père savait ce que c'était
que de choir...
Il avait été Auguste de « ch »oirée *(rectifiant)*
de soirée dans un « ch »irq... (cirque)
sous un chapiteau !
Il faisait ce que l'on appelle des entrées de chute.
Cela consistait à entrer, à se laisser choir
et à crier, d'une voix de perroquet :
« Bonsoir, messieurs-dames...
Bonsoir, messieurs-dames ! »

On l'appelait le père Choir, mon père !
Il avait pas mal chu dans la « ch »... sciure...
– c'est un mot dangereux ! –
et (évidemment) il aurait voulu
que je choie mieux que lui !
Tout petit, il m'incitait à choir...
Il me disait :
« Allez. Chois, mon chou-chou, dans la sciu-sciure ! »
Il laissait choir son mouchoir de soie.
Il disait :
« Chois comme ce mouchoir de soie... mon chou !
Chois léger ! »
Qu'est-ce qu'il a pu me faire choir ! ! !
Non seulement, il me faisait choir chez moi,
mais il m'envoyait choir chez les autres !
Ce n'est pas que l'on choie mal chez les autres,
mais l'on choit mieux chez soi !
Parce que l'on choit sans retenue !
on choit pour soi...
Tandis que chez les autres, avant de choir,
il faut mettre des gants :
« Vous permettez que je choie ici ?... Boum !
Ou bien préférez-vous que je choie là ?... Boum ! »
Quand on a toujours chu dans la « chi »...
dans les copeaux... enfin... des tout petits copeaux...
comme des... chiures de mouches...
(Rectifiant :)
Quand on a toujours chu dans la sciure et que,
soudainement, il faut choir sur le tapis,
on ne choit pas dans son élément !
On choit plus haut... que son rang !
Et quand vous avez mal chu,
on vous le fait savoir :
« Vous avez vu comme il a chu, ma chère ? »
ou :
« Il manque de savoir-choir ! »
Combien de fois ai-je entendu :
« Il manque de savoir-choir ! »

Parce que dans un certain milieu,
choir, cela s'apprend !
Il y a des cours du choir !
Je les ai « ch »uivis !
Ils vous apprennent à choir... en trois « ch »oirs !
Il y a d'abord le pré-choir.
C'est l'instant qui précède le moment où l'on choit.
Deux, vous avez le choir proprement dit.
Alors là, on choit où l'on peut.
On n'a pas le choix !
Et trois, une fois chu, vous avez l'après-choir !
Moi, j'ai eu des après-choirs difficiles !
Je ne pouvais même plus m'asseoir !
Comme au bout de trois « ch »oirs,
je n'étais toujours pas fichu de bien choir,
j'ai laissé... tomber !
Et un « ch »... jour, mon père, le père Choir, me dit :
« Chois un peu devant moi que je vois
où tu en es sur le plan choir !
Moi, je n'étais pas chaud... mais je chois !
Il me dit :
« Ce n'est pas que tu chois mal, mais tu chois raide !
Chois souple... chois comme un chat !
Regarde un chat choir... chois comme lui
et tu choiras bien ! »
Parce qu'un chat sait choir...
Un chien aussi sait choir,
mais moins bien qu'un chat !
Un soir, j'ai vu un chat choir sur un chien,
un chiot, un chow-chow...
un petit chiot de chow-chow !
A la suite de tout un concours de circonstances...
C'est-à-dire que le chat avait vu choir un
perroquet de son perchoir...
(Il faut remonter plus haut,
sans cela on ne comprend pas.)
Le perroquet avait vu choir un mouchoir
d'un séchoir...

C'était le mouchoir de soie du père Choir
qui séchait...
Le perroquet, voyant le mouchoir choir,
avait chu d'où il était perché...
Le chat, voyant le perroquet choir,
s'était lan« ch »é...
– Je n'ai pas un cheveu, là ? –
(L'artiste mime le cheveu qu'il enlève de sa bouche.)
C'est là que le chat a chu sur le chiot !
Sous le poids du chat, le chiot a chu...
Eh bien, le chow-chow a moins bien chu que le chat-chat !
Chi ! Chi !
Attendez, le plus chouette, c'est la chute !
Savez-vous où le perroquet pour« ch »uivi
par le chat est venu s'échouer ?
Dans les pieds du père Choir qui faisait son entrée,
qu'il est venu s'échouer le perroquet !
Le père Choir, au lieu de faire une entrée de chute,
a fait une chute d'entrée...
et il s'est mal re« ch »u !
Au lieu de choir sur son « ch »éant...
il a chu sur sa mâchoire !
Il ne pouvait plus dire quoi que « ch »e « ch »oit !
Finalement, c'est le perroquet qui,
perché sur le père Choir,
a crié :
« Bon" ch "oir, messieurs-dames !
Bon" ch "oir, messieurs-dames ! »

A SE TORDRE

X et Z s'approchent de l'artiste. X lui dit quelque chose à l'oreille.

L'artiste : Bon ! Eh bien ! Allez-y !
(Au public :)
Monsieur est un mime... Il voudrait vous mimer quelque chose. Qu'allez-vous nous mimer ?
X : La douleur !
L'artiste : Ah bon ! Parce que la dernière fois, il a voulu nous mimer la rotation de la terre. Pour faire un tour sur lui-même, ça a demandé vingt-quatre heures !
(Il mime la rotation de la terre en tournant sur lui-même tel un discobole au ralenti.)
Mais la douleur n'est pas éternelle ! Allez-y ! Souffrez devant ces messieurs-dames !
(X mime la douleur.)
L'artiste : Vous avez fini de souffrir ? Bon ! Je vais vous mimer la douleur à mon tour.
(Il mime la douleur.)
X (le regardant) : Dites ! Ce n'est pas la même douleur que la mienne ?
L'artiste : Nous ne souffrons pas du même endroit !
X : Moi, je mime quelqu'un qui a pris une balle dans le dos !
L'artiste : Et moi, une balle perdue !

X : Et où est-elle ?
L'artiste : Ben... eh... je la cherche !
(Tous deux miment leur souffrance lorsque Z intervient.)
Z : Vous permettez ?
L'artiste : Je vous en prie.
(Z à son tour mime la douleur. Il se baisse en se tenant les fesses.)
L'artiste : Que vous est-il arrivé ?
Z : J'ai pris une balle dans le...
L'artiste : ... Elle est très mal placée... Il ne fallait pas fuir.
(Tout à coup, Z se redresse et hurle de douleur.)
L'artiste : Monsieur ! Les grandes douleurs sont muettes !
(A ce moment-là, le pianiste éclate d'un rire tonitruant. Tous trois s'arrêtent de mimer et l'observent.)
L'artiste : Mais, ma parole, ça amuse monsieur !
Le pianiste : Ah ! Ah ! Ah ! Ah !
L'artiste : On se tort de douleur... et monsieur se tord de rire !
Le pianiste : Ah ! Ah ! Ah ! Ah !
L'artiste : Alors, de nous voir souffrir... c'est tout l'effet que ça vous fait ?
(Le pianiste, secoué par le fou rire, « accroche » le couvercle du clavier... qui lui retombe sur les doigts. Il se tord alors de douleur en secouant sa main, tandis que les autres s'esclaffent !
Le pianiste sort un revolver et tire trois coups de feu en direction des trois autres.
L'artiste, X et Z prennent alors les positions de mime adoptées précédemment et restent figés.)
Le pianiste (au bout de quelques secondes) : Eh ! Oh ! Arrêtez ! C'est du mime !
L'artiste (se redressant) :
Il faut le dire ! Mais, dites-moi, vous faites beaucoup de bruit pour du mime.
Le pianiste : Je ne peux pas faire autrement !
L'artiste : Si c'est du mime, mettez un silencieux !

ÇA PEUT SE DIRE, ÇA NE PEUT PAS SE FAIRE

On dit qu'un mime sait tout faire.
C'est faux !
Un mime ne peut pas tout faire.
Exemple :
Un jour...
je devais mimer un personnage
qui n'avait rien à faire...
Eh bien... je n'ai rien pu faire !
Parce que ne rien faire,
ça peut se dire.
Ça ne peut pas se faire !
En outre, je ne pouvais pas le dire
que je ne pouvais rien faire,
parce que le personnage qui n'avait rien à faire...
en plus, n'avait rien à dire !...
Le directeur de la salle me l'avait bien spécifié.
Il m'avait dit :
« Pensez bien à ce que vous avez à faire ! »
C'est-à-dire, en fait : « Ne pensez à rien ! »
Et il avait ajouté :
« Surtout, ne le dites pas ! »
Et moi, je lui avais donné ma parole de mime
que je ne dirais rien.
Je suis entré sur scène
et je me suis mis à ne rien faire...

sans rien dire !
Ça n'a l'air de rien...
mais il faut le faire... !
Il ne suffit pas de le dire...
Et paradoxalement, plus je ne faisais rien,
plus les gens, dans la salle, disaient :
« Qu'est-ce qu'il fait ? »
Parce que le public... lui, il n'est pas fou !
Il voyait bien que je faisais quelque chose ...
mais comme c'était rien,
il se demandait ce que j'étais venu faire.
Les critiques, eux, par contre,
voyaient bien que je ne faisais rien,
et que je le faisais bien !
Seulement, ils s'attendaient à plus.
Et moi qui déjà ne faisais rien,
je ne pouvais pas faire moins.
Alors, au bout d'un moment, dans la salle,
les gens qui ne voyaient rien
ont commencé à trouver à redire :
« Il pourrait au moins faire un geste,
avoir un bon mouvement ! »
Ce que voyant...
j'ai fait le seul geste que pouvait se permettre
quelqu'un qui n'a rien à faire...
sans que l'on puisse dire : « Il en fait trop ! »
J'ai fait... *(Geste d'impuissance.)*
Les gens :
« Qu'est-ce qu'il a dit ? »
Alors là, j'ai rompu le silence.
J'ai dit :
« Mais je n'ai rien dit ! »
Qu'est-ce que j'avais dit là !
Le directeur : « Rideau !
Non seulement, je paye un mime à ne rien faire
et il ne le fait pas !
Mais en plus, il ne tient pas sa parole, il parle ! »
Et il a ajouté :

« Tenez ! Vous n'êtes même pas bon à rien ! »
Le lendemain, dans la presse,
qu'en ont dit les critiques ?
Eh bien, comme je n'avais rien fait,
ils n'ont rien dit...
mais... en bien !

LE CAVALIER SUR SA MONTURE

Lorsque j'ai entrepris de faire du mime,
j'ai commencé par mimer la marche sur place...
(Il en fait la démonstration.) Voyez !
Très vite, j'ai compris que cela ne me menait pas loin,
pour ne pas dire nulle part !
En fait, je piétinais...
Alors, je me suis adjoint une monture et j'ai mimé :
« Le cavalier sur sa monture »,
ce que je vous propose de faire...
Alors,
à partir de la ceinture,
le haut, c'est l'homme...
une moitié d'homme !
Et sous la ceinture,
c'est le cheval... entier !
enfin... *(montrant la hauteur de la ceinture)*
coupé ici... mais entier en dessous !
Bref !
Alors...
à partir de la ceinture,
le haut, c'est l'intelligence,
l'esprit qui domine !
Et sous la ceinture,
c'est la bête !
Le tout est de bien attacher sa ceinture...

Parce que vous avez des spectateurs,
la ceinture, ils se la nouent autour du cou,
comme un licou,
ce qui leur fait deux grandes jambes
sous une petite tête !
En conséquence, ils courent vite...
mais ils ne pensent pas beaucoup !
Ah... ne faites pas comme ce spectateur il y a huit jours
– la bête lui était montée à la tête ! –
il se prenait pour un cheval,
un cheval-mime, mais un cheval...
Tout ce qui était en dessous, c'était l'intelligence,
l'esprit qui domine !
Et tout ce qui était au-dessus, c'était la bête !
La bête humaine, mais la bête !
(Alors là, on assiste à ce spectacle déprimant d'un
spectateur qui rentre au paddock avec sa monture
sur le dos. C'est pitoyable !)
Non ! Il faut penser comme un homme
et marcher comme une bête !
Quand la bête est matée...
on en fait ce que l'on veut !
Voyez ! *(Il en fait la démonstration.)*
Voilà une bête qui est bien montée !
(Note à l'adresse de ceux qui pourraient avoir mauvais
esprit : « Restons au-dessus de la ceinture, voulez-vous ? »)
Voyez !... le haut doit ignorer ce que fait le bas.
C'est ça, la classe !
(Alors, on dit : « Son numéro est hippique ! »)
Dernière recommandation :
ne faites pas comme ce spectateur,
hier soir, dans le hall...
Pour épater la galerie,
tenez-vous bien !
il a voulu se mettre debout sur sa monture !
L'impossible exploit !
Le haut a chu à hue !
Le bas à dia !

Double chute, double fracture !
Les deux mimes brancardiers se sont précipités à son secours...
Mais comme ils mimaient la marche sur place, ils ne sont jamais arrivés...
(Désignant la coulisse :) Ils sont toujours là !
Par chance, dans la salle,
le médecin de service était aussi vétérinaire !
Il a réduit les deux fractures
jusqu'à ce qu'elles ne fassent plus qu'une facture...
(au pianiste :) que j'ai reçue !
Ça y est. Je l'ai reçue !
Bref !
Le haut étant remis sur pied
et le bas sur pattes,
le spectateur est rentré chez lui
en cavalier manchot
sur cheval unijambiste !
(*Musique* : Charge de la cavalerie légère)
*(L'artiste sort en sautillant sur une jambe
et en tenant son bras comme si il était en écharpe.)*

LE DOMPTEUR JEKYLL ET SON LION HYDE

Cette nuit,
j'ai rêvé que j'étais le dompteur
Jekyll et son lion Hyde.
Je rentrais dans la cage aux fauves dans la peau
du dompteur et j'en sortais dans celle du lion.
Je vais vous raconter très brièvement la chose...
Le dompteur Jekyll :
petits cheveux noirs gominés...
fine moustache noire...
Il met sa pelisse en peluche...
Il sort de chez lui...
(Déjà, on sent qu'il a bouffé du lion !)
Il arrive au cirque,
il se rend au vestiaire.
Il retire sa pelisse en peluche.
Il met sa tunique... jaune... poussin !
Il brosse ses petits cheveux noirs,
sa petite moustache noire...
Il rentre sur la piste et il dit :
« Mesdames et messieurs,
  vous êtes venus pour assister au repas du fauve,
  vous allez être servis ! »
Faites entrer le lion Hyde !
Le lion Hyde :
Rhaa !

Crinière de lion...
Grosse moustache de lion...
Peau de lion...
Tout en fauve !
Il tourne en rond dans sa cage carrée.
On sent qu'il y a longtemps
qu'il n'a pas bouffé du dompteur.
Il sort de sa cage carrée pour entrer dans la cage ronde.
Dès qu'il est dans la ronde, il cherche à en sortir...
Pantomime du lion qui cherche à sortir de sa cage...
(Pantomime de l'artiste.)
Remarquez que, comme la cage est ronde,
il tourne en carré !
Pendant que le lion cherche à sortir de sa cage,
le dompteur, lui, cherche à y entrer !
Pantomime du dompteur qui cherche
à entrer dans la cage !
Pantomime du fauve qui cherche à en sortir !
Pantomime du dompteur qui cherche à entrer...
Le fauve trouve la sortie, ouvre la porte...
et le dompteur entre.
Pantomime du dompteur qui va mettre sa tête
dans la gueule du fauve.
(Pantomime.)
Et au dernier moment, le dompteur Jekyll
se dégonfle... Il se dégonfle littéralement...
Il rapetisse à vue d'œil !
Devient tout petit, tout petit !
Le lion, voyant le dompteur pas plus grand
qu'un poussin... Miamm !
Dans son gros ventre !
Un tout petit dompteur !
(Rappel du « Petit Poussin ».)
Ça aurait été un vieux dompteur...
Bon, il a vécu !
Mais un tout petit dompteur... !
Avant de glisser dans les entrailles du fauve,
il a le temps de crier :

« Et le spectacle conti... »
Gloupp !
Alors là-haut, sur les gradins, les gens...
(Mouvement des fessiers. Rappel du « Rire primitif ».)
C'est du cirque à l'ancienne !
Le lion repus, au lieu de gagner le bestiaire,
regagne le vestiaire.
Il retire sa crinière de lion.
Il brosse ses petits cheveux noirs gominés.
Il enlève sa grosse moustache de lion.
Il brosse sa fine moustache noire.
Il retire sa peau de lion
et il revêt sa pelisse en peluche.
Et le dompteur Jekyll rentre chez lui !
Sitôt la porte fermée,
il retire ses petits cheveux noirs gominés :
dessous, il a une crinière de lion !
Il décolle sa petite moustache noire...
Il a une grosse moustache de fauve !
Et avant de retirer sa pelisse en peluche,
il va ouvrir la fenêtre pour aérer un peu,
parce que ça commence à sentir le fauve ! ! !

MÉTEMPSYCOSE

La métempsycose, ça existe !
Avant d'être ce que je suis...
j'ai sûrement été quelqu'un d'autre
dans une vie antérieure.
Autrement, comment expliquer que moi
qui n'ai jamais appris à jouer du piano,
je puisse en jouer parfois ?
J'ai dû être un pianiste
et sûrement américain !
Sans ça, comment expliquer que lorsque
je rentre dans un night-club,
je me mette à marcher comme ça...
(tout en mastiquant du chewing-gum, il se rend au piano).
Je prends son chapeau à un type,
son cigare à un autre,
je dis au pianiste :
« Tire-toi de là, c'est ma place ! »
Je m'installe et...
(L'artiste chante en anglais Ain't she sweet *tout en s'accompagnant.*
Au fur et à mesure qu'il chante, sa voix devient nasillarde...
S'interrompant soudain :)
... Alors que je ne parle pas anglais !
J'ai dû être un animal, aussi,
dans une vie antérieure !

Un mouton.
J'ai dû être un mouton !
Autrement, comment expliquer que la nuit,
lorsque je suis revêtu
de mon pyjama de laine,
je fasse « bée ! ».
Et ma femme qui habituellement,
pour s'endormir, compte les moutons,
dans ces moments-là, elle compte sur moi !
J'ai dû être un ange, aussi !
Enfin, j'ai voulu l'être...
mais on sait que qui veut faire l'ange
fait la bête !
Je me voyais déjà avec deux grandes ailes
blanches dans le dos,
une petite auréole au-dessus de la tête,
chantant les louanges du Seigneur !
Et un jour que du Seigneur,
j'étais dans les vignes,
je ne sais pas ce qu'il m'a pris.
Je me suis mis à chanter :
« Bog ! bog ! bog ! bog ! etc. »
(Il chante un extrait de La poule *de Pierre-Petit en s'accompagnant au piano.)*
(Après le premier motif, il se lève et mime la démarche de la poule qui cherche un ver, le trouve... et l'avale !)
Bog ! Un petit ver... !
(L'artiste, se souvenant du Petit poussin,
s'effondre, en larmes.)
Un petit ver...
dans mon gros gésier !
Ça aurait été un grand ver... bon !
Il a fait son trou...
Mais un petit ver... !
Vous avez déjà vu un petit ver ?
Et puis, en passant devant une flaque d'eau,
j'y ai vu mon reflet...
Ah... (je suis tombé de haut !)

Ce que je prenais pour deux grandes ailes
d'ange dans le dos,
c'étaient deux petites ailes de poule !
Ridicules !
L'auréole... sur le côté ?
Une crête !
Tout d'abord, je me suis dit :
« Bon ! Un ver de trop ! »
Mais quand j'ai vu le croupion,
je n'avais plus aucune illusion à me faire !
Un ange avec un croupion,
ça ne s'est jamais vu...
Même dans une vie postérieure !

LES OBJETS INANIMÉS

Une nuit...
je ne dormais pas...
j'attendais un coup de fil de l'objet de mes désirs,
qui refusait obstinément de devenir ma chose...
Elle s'était entichée d'un autre objet...
une armoire à glace... primitive...
Bref, je ne dormais pas !
Et tout d'un coup, j'entends des bruits curieux...
C'étaient les pieds de la table qui craquaient...
Entre parenthèses, c'était une table qui m'avait été
offerte par l'objet de mes désirs,
celle qui refusait obstinément de devenir ma chose.
C'est pour vous dire qu'il y a une relation
entre la chose et l'objet.
Bon !
Les pieds de cette table craquaient.
J'avais beau me dire que c'était le bois qui travaillait,
tout de même... à deux heures du matin,
ce n'était pas une heure pour travailler le bois !
Et la question s'est posée à mon esprit :
« Objets inanimés, avez-vous donc une âme ? »
ce fameux vers de Lamartine que chacun connaît :
Objets inanimés, avez-vous donc une âme...
Qui s'attache à notre âme et la force d'aimer ?
Ce sont des vers de douze pieds (je les ai comptés) !

Je me suis dit que pour répondre, honnêtement,
à la question :
« Objets inanimés, avez-vous donc une âme ? »,
le seul moyen était de devenir objet moi-même !
C'est ce que j'ai fait.
Je suis devenu un peigne.
Pourquoi un peigne ?
Parce que c'est la première chose
qui me soit passée par la tête !
Donc, une nuit, pendant mon sommeil,
je retirai de ma poitrine une côte...
une côte première...
Écoutez ! A ceux qui trouveraient ce récit
extravagant, je répondrai que des côtes retirées,
on en a vu d'autres !
Il y a eu des précédents !
C'est tout de même à partir d'une côte d'Adam
que Dieu créa la femme !
Eh bien moi, c'est à partir d'une de mes côtes
que j'ai créé un peigne !
C'est aussi simple que ça !
C'est difficile à admettre, je sais...
Moi-même, à mon réveil, quand je me suis vu,
moi (homme)
bien en chair à côté de moi (peigne) tout en os,
j'ai douté... !
J'ai même eu recours à la radioscopie !
Je suis allé voir Chancel !
Tout de suite, il m'a dit :
« Mais il vous manque une côte, Deveau ?
(parce qu'il est subtil !)
Vous avez eu un accident ? »
Je lui ai répondu :
« Non, Jacques, c'est de naissance ! »
Sans préciser qu'il s'agissait de celle d'un objet !
En sortant de la radioscopie, je suis allé présenter
mes hommages à celle qui refusait obstinément
de devenir ma chose...

Elle me reçoit en peignoir...
Elle me dit :
« Quel est l'objet de votre visite ? »
J'ai failli lui répondre :
« Je suis venu pour la chose... »
J'ai rectifié aussitôt :
« Je suis venu pour vous, cher objet
de qui j'ai attendu toute la nuit
un coup de fil qui n'est pas venu... »
Elle me dit :
« Non ! En ce moment, ma ligne est en dérangement.
Excusez-moi !
Je suis tout ébouriffée... »
Elle ouvre son sac...
Elle dit :
« Tiens ?... J'ai perdu mon peigne ! »
Vous voyez la relation objet-objet, là ?
Je lui passe le mien.
Tandis qu'elle se coiffait *(geste du peigne qui va et vient)*,
j'éprouvais une sensation curieuse...
C'est comme si je lui passais la main dans les cheveux !
Et elle me dit :
« Il y a chez vous quelque chose qui m'échappe ! »
Et dans le même temps, le peigne est tombé !
J'ai simplement ressenti une légère vibration
dans les dents...
parce que chez le peigne,
ce sont toujours les dents qui prennent !
Vous voyez la relation homme-objet, là ?
J'ai ramassé mon peigne...
je l'ai glissé dans son sac...
et je suis rentré chez moi.
Quelle nuit...
quelle nuit j'ai passée, en tant que peigne,
au fond de ce sac de femme !
Ah, mesdames, l'intérieur de votre sac...
quel fouillis !
Charmant, au demeurant...

l'intérieur d'un sac de femme...
Les parois de satin rose...
le petit mouchoir de dentelle... teinté de rouge à lèvres...
le cliquetis des clefs...
le froissement des billets doux...
le poudrier... la houpette...
Oh, la houpette ! Ah, la houpette !
Bon ! On ne va pas passer la nuit sur la houpette !
Les parfums... les arômes !
J'ai vécu au fond de ce sac de femme
les heures les plus éblouissantes
de mon existence... de peigne !
Le lendemain, on sonne.
C'était l'objet de mes désirs
qui me dit :
« Je viens vous rapporter le peigne
que vous avez oublié dans mon sac. »
Elle l'ouvre...
Les parfums de la nuit... Ahh !
Je lui dis :
« Non ! Gardez-moi encore près de vous !
J'étais si bien à l'intérieur de votre sac ! »
Elle me dit :
« Que faisiez-vous à l'intérieur de mon sac ? »
Je lui dis :
« J'attendais de votre part... un coup de peigne
qui n'est pas venu ! »
Elle me dit :
« Vous vous portez bien, vous, en ce moment ? »
Je lui dis :
« Oui ! Et vous ? »
Elle me dit :
« Pas mal ! Sauf que depuis quelque temps,
la nuit, j'ai les pieds qui craquent ! »
! ! !
J'ai repensé à la table.
J'ai dit :
« Ce n'est rien ! C'est le bois qui travaille ! »

Qu'est-ce que j'avais dit là ! ! !
Elle a crié :
« Je ne suis pas de bois ! »
Elle a sorti mon peigne de son sac et...
Clac !
(Il porte la main à sa poitrine.)
J'ai ressenti une douleur dans la poitrine.
La colère est montée. J'ai saisi la table
par les pieds... Je l'ai prise à bras-le-corps...
Elle a dit :
« Ah, ce que c'est bon quand tu me prends ! »
Vous voyez la relation femme-objet, là ?
J'ai eu juste le temps de déposer la table
et de recevoir l'objet de mes désirs
qui m'est tombé dans les bras... inanimé !
C'est ainsi qu'elle est devenue
ma chose !
Mais... les choses n'étant que ce qu'elles sont,
depuis que mes désirs sont sans objet,
la nuit, lorsque je sens que le moral va craquer,
je fais tourner la table et j'interroge :
« Objets inanimés, avez-vous donc une âme...
  Qui s'attache à notre âme et la force d'aimer ?
  Un coup pour oui !
  Deux coups pour non ! »
La réponse vient d'un seul coup :
OUI, mais dans la langue de bois !

MÉSAVENTURE EXTRATERRESTRE

A propos d'objets non identifiés,
vous avez tous entendu parler de la mésaventure
extraterrestre survenue à un jeune homme
de Cergy-Pontoise ?
Je rappelle les faits :
Le jeune homme était dans sa voiture...
Soudain, il a vu une (petite) boule rouge.
C'était un OVNI.
Il est devenu vert !
Il a entendu la voix d'une créature :
« Alors, petit bonhomme, tu montes ? »
Avant qu'il ait pu dire ouf !
il était dedans (dans l'OVNI) !
Il est allé faire un petit voyage dans l'ailleurs !
Huit jours !
Ensuite, il est rentré chez lui, tranquillement :
« Salut ! »
! !...
Un peu facile, non ?
Quel prétexte, messieurs !
! !
Qui m'empêche, moi, de disparaître
sans laisser d'adresse ?
Au bout de huit jours, je rentre chez moi :
« Salut ! »

Ma femme :
« Que t'est-il arrivé ?
– OVNI !
– Alors, raconte !
– Élémentaire... J'étais dans ma voiture...
Tout à coup... j'ai vu la chose...
Ça a été comme un coup de foudre !
J'étais ébloui ! »
Elle :
« Quelle forme avait-elle ? »
Moi :
« Elle était... rondelette... euh... non !
disons boulotte !... Enfin... c'est-à-dire
qu'elle était ronde comme une boule, quoi ! »
Elle :
« Et toi ? »
Moi :
« Moi, j'étais rond aussi !... enfin, non ! »
... J'étais plutôt perplexe !
Elle :
« Mais c'était quoi... une lumière ? »
Moi :
« Oh, une lumière !... Ou alors, elle l'avait mise
en veilleuse, parce que... »
Elle :
« Ensuite ? »
Moi :
« Ensuite, elle m'a fait des appels de phare... »
Elle :
« Qui ? »
Moi :
« Eh bien... la créature... »
Elle :
« Et puis ? »
Moi :
« Et puis, j'ai perdu la boule *(précisant)*... de vue... »
Elle :
« Et ?... »

Moi :
« Et... c'est là que... j'ai pénétré dans l'inconnu(e)... »
! !...
(Le sixième sens des femmes !
elles subodorent...)
Elle :
« Dis donc ! Ton OVNI, là... Ne serait-ce pas
plutôt une extraterrestre, par hasard ?»
Moi :
« ! !... Tout ce que je peux te dire...
c'est que c'était...
terrestre... et... extra ! »
OVNI soit qui mal y pense !

LES POCHES SOUS LES YEUX

Dans la salle, hier, après chaque histoire,
il y a un monsieur qui me disait :
« Et alors...? »
J'étais obligé de continuer, d'improviser
et quand j'avais fini, il disait :
« Et alors...? »
Je racontais une histoire surréaliste... surréaliste...
Un soir dans ma loge, il y a un monsieur qui vient me voir accompagné de son petit garçon...
Il me dit :
« Monsieur, pour retenir toutes vos histoires,
vous devez avoir une mémoire prodigieuse ! »
Je lui dis :
« Non, j'ai des poches sous les yeux !
J'y glisse mes textes...
ainsi, j'ai toujours mes textes sous les yeux...
si bien que lorsqu'un mot me manque
ou que j'ai un trou de mémoire, je fais ça
(geste de tirer la paupière entre le pouce et l'index)
et je lis dans le texte. »
Et le monsieur me dit :
« C'est comme moi ! Je ne perds jamais
mes lectures de vue. Tenez, regardez ! »
Il retourne les poches qu'il avait sous les yeux...
Elles étaient pleines de bouquins !

Je lui dis :
« Ce sont des livres de poche que vous avez là ! »
Il me dit :
« Non monsieur, des dictionnaires !
Dans la poche droite, j'ai le *Petit Larousse illustré.*
Dans la gauche là, j'ai
le *Grand Larousse encyclopédique !* »
Je lui dis :
« Ça se voit ! Vous n'avez pas les deux yeux
du même volume. »
Je lui dis :
« Mais vous n'avez pas les *Robert*? »
Il me dit :
« Non ! Les *Robert,* c'est ma femme qui les porte ! »
Je lui dis :
« Ah, elle a aussi des poches sous les yeux ? »
Il me dit :
« Oh non ! Elle, ce ne sont pas des poches, vous pensez...
C'est beaucoup plus grand que ça...
c'est beaucoup plus volumineux...
Comment on appelle ça... Oh...
(Il ne trouve pas le mot. Il regarde dans sa poche)...
des valises ! Dans la valise droite, là,
elle met le *Petit Robert*
et dans la gauche, le *Grand Robert* ! »
Je lui dis :
« Et ça rentre? »
Il me dit :
« En forçant un peu, oui ! »
Je lui dis :
« Ainsi, ce que vous ne trouvez pas dans vos
" Larousse ", vous le cherchez dans ses " Robert "...
et vice-versa... »
Alors là, le gosse a éclaté :
« Dites donc, vos surréalités, vos inepties,
c'est fini, oui ! Non mais quoi?
Des poches sous les yeux, passe encore !
Mais des *Larousse* dans les poches

et des *Robert* dans des valises...
vous ne trouvez pas que c'est un peu gros, non !
Si je vous disais que ma petite sœur
a des pochettes-surprises sous les yeux,
qu'elle y fourre ses chocolats glacés
et que comme elle ne veut pas grossir,
elle se contente de les manger des yeux
et quand ses chocolats glacés fondent...
c'est en larmes... ! »
Là, le père a dit :
« C'est surréaliste, ce que dit mon fils... »
Je lui dis :
« En tout cas, ce qui est sûr, c'est que votre gosse
il n'a pas la langue dans sa poche ! »
Il m'a dit :
« Justement si, monsieur ! Seulement,
il ne veut pas admettre l'évidence ! »
Il a dit à son gosse :
« Montre un peu au monsieur
ce que tu as dans la poche de ton œil ! »
Et le gosse m'a fait : « Tiens ! » *(geste "mon œil")*
et j'ai surréalisé qu'il me tirait la langue !
Et à ce moment-là, le spectateur dans la salle :
« Et alors? »
J'ai dit :
« Eh bien, quand il a fermé l'œil,
il s'est mordu la langue ! »
Le spectateur : « Et alors? »
J'ai dit :
« Et alors, quand il a tourné sept fois la langue
avant de parler, il a tourné de l'œil ! »
Le spectateur : « Et alors? »
J'ai dit :
« Et alors... j'ai un trou...
– Un trou de mémoire?
– Non ! Un trou dans la poche ! »

JE ZAPPE

Hier soir, après dîner, ma femme me dit :
« Qu'est-ce qu'on donne ce soir à la télé? »
Je lui dis :
« Il y a deux films.
Sur une chaîne, il y a *Thérèse* dans un genre pieux...
enfin, classé pieux !
Et sur l'autre chaîne, il y a *Emmanuelle* dans
un genre tout à fait différent, classé X ! »
Elle me dit :
« Eh bien moi, je vais me coucher... Pas toi? »
Je lui dis :
« Non, je crois que je vais rester encore un peu
pour voir le film. »
Elle me dit :
« Lequel? »
Je lui dis :
« Emma... (rectifiant)... le pieux...
le pieux, avec un X ! »
Elle me dit :
« Bon, tu me raconteras ! »
Je lui dis :
« C'est ça ! »
Elle sort. Je ferme soigneusement la porte derrière elle.
J'allume ma télé. Je prends mon zappeur...
parce que j'aime zapper...

Oh, que j'aime zapper !
J'aime passer d'une chaîne à l'autre !
Je dis : Voyons *Thérèse* puisque c'est ce que j'ai décidé mais auparavant, je vais jeter un petit coup d'œil sur *Emmanuelle* par acquis de conscience... pour m'en faire une petite idée.
Et je zappe sur *Emmanuelle.*
Rhahh !... La belle femme !
Elle était chez son médecin qui lui dit :
« Qu'est-ce qui vous arrive? »
Elle lui dit :
« J'ai une crise de foie... »
Il lui dit :
« Dévêtez-vous, je vais vous palper ! »
Elle commence à retirer lentement ses effets...
Oh, j'ai dit, je vois le genre. Allez, tout de suite au pieux !... Au film !
Je zappe sur *Thérèse.*
En extase... !
Elle était chez son confesseur qui lui dit :
« Qu'est-ce qui vous arrive? »
Elle lui dit :
« J'ai une crise de foi ! »
Il lui dit :
« Il faut prendre le voile. Voilez-vous ! »
J'ai dit : Le temps qu'elle le mette, moi, je vais les mettre sur *Emmanuelle.*
Je zappe sur *Emmanuelle.*
Elle avait tout dévoilé !
Alors là, je me suis dit :
Il faut que tu choisisses...
Ou tu vois le « voilé » ou tu vois le « dévoilé » !
Voilà ! Alors, le « voilé » ou le « dévoilé »?
Ah, j'ai dit, vois-les... Vois les deux !
Et j'ai zappé avec une telle rapidité que les images n'arrivaient plus à suivre !
A un moment, elles se sont superposées.
Quand j'ai vu le visage de Thérèse

sur le corps d'Emmanuelle, j'ai dit :
Oh ! Oh ! Où tu vas là? Si *Thérèse* te trouble
à ce point, reste sur *Emmanuelle* !... Enfin... !
Et c'est juste au moment où je venais de zapper
sur *Emmanuelle* que ma femme est entrée...
« Je n'ai pas sommeil... »
Aussitôt, j'ai zappé sur *Thérèse.*
Ma femme me dit :
« Tu regardes toujours *Thérèse* là? »
Je lui dis :
« Plus que jamais ! »
Elle me dit :
« Tu n'as pas bonne mine ! Qu'est-ce qui t'arrive? »
Je lui dis :
« J'ai une crise de " fois " ! »
Elle me dit :
« De quel foie ? »
Je lui dis :
« Des deux " fois "... enfin, on n'a pas deux foies...
J'ai une crise de ce foie-ci... *(il le désigne)*,
le foie que l'on peut palper, et puis de l'autre foi,
l'impalpable ! J'ai mal aux deux " mots " à la fois.
J'ai mal à mon foie et à ma foi... »
Elle me dit :
« Tu as déjà eu mal à tes " fois "? »
Je lui dis :
« Bien des fois, autrefois, mais jamais au deux
" fois " à la fois ! Tandis que là, pour la première
fois, je souffre de ce foie-ci et de cette foi-là...
tu comprends? »
Heureusement qu'elle ne m'écoutait pas !
Elle regardait *Thérèse...*
Elle me dit :
« Mais pour qui Thérèse prie-t-elle? »
Je lui dis, en toute bonne foi :
« Pour le repos du corps d'Emmanuelle ! »
Elle me dit :
« Pourquoi? Qu'est-ce qu'elle a fait

de son corps, Emmanuelle? »
Là, de mauvaise foi, j'ai dit :
« Comment veux-tu que je te le dise?
Tu ne m'as pas laissé voir le film ! ! »

UNE DE PERDUE

L'artiste (à son pianiste) :
Vous n'avez pas vu ma femme ?
J'ai perdu ma femme !
Je l'ai perdue une fois de plus !
Cent fois, je l'ai perdue,
et cent fois, je l'ai retrouvée !
Il y a un destin.
Il y en a qui perdent leur femme du premier coup...
et c'est pour toujours...
c'est pour la vie ; c'est définitif !
Moi, à chaque fois il faut que je recommence !
Rien qu'ici, je l'ai perdue dix fois...
Et dix fois, je l'ai retrouvée !
Il n'y a aucune raison pour que la onzième
soit la bonne !
La première fois que j'ai perdu ma femme,
je l'ai perdue par inadvertance
et je l'ai retrouvée par hasard !
La seconde fois...
je l'ai perdue par hasard...
et je l'ai retrouvée par inadvertance !
La troisième fois...
je ne l'ai perdue ni par inadvertance ni par hasard,
et je l'ai retrouvée... par erreur !
Ce jour-là, ma femme m'a dit :

« Quel plaisir peux-tu prendre à me perdre ? »
Je lui ai dit :
« Aucun ! Mais quand je te retrouve, quelle joie ! »
Elle m'a dit :
« Chaque fois que tu me perds et que tu me cherches,
j'ai toujours peur que tu en retrouves une autre ! »
Je l'ai rassurée :
« Mais non ! Il n'y a que toi que j'aime retrouver ! »
Depuis, on ne se quitte plus !
On se perd !
Et plus on se perd, plus on se rapproche !
A tel point que si je reste quelques jours
sans la perdre... elle me manque !
Je sais que de son côté, c'est réciproque.
Parfois, elle me dit :
« Tu ne m'aimes plus ! »
Je lui dis :
« Pourquoi dis-tu cela ! »
Elle me dit :
« Parce que depuis quelque temps,
tu ne cherches plus à me retrouver ! »
Je lui dis :
« Mais si ! C'est parce qu'en ce moment,
je n'ai pas la tête à te chercher ! »
Cet été, je l'ai emmenée au bord de la mer...
dans un petit coin perdu... favorable !
J'ai passé toutes mes vacances à la chercher...
Dès que je l'avais trouvée, je la reperdais...
Je la recherchais, etc.
Dans ma hâte, il m'arrivait même de la chercher
avant de l'avoir perdue... et de la retrouver
sans même l'avoir cherchée !
Ah ! On a passé de bons moments, tous les deux !
Le dernier jour, je lui ai fait une fleur...
Je l'ai perdue en mer,
corps et biens...
Et je l'ai retrouvée,
saine et sauve (à terre) !

Pourtant, je suis sûr d'avoir crié :
« Un HOMME à la mer ! »
Mais les sauveteurs, ils n'écoutent que leur courage :
ils plongent !
Ils ont ramené une femme...
Bon, c'était la mienne... je n'ai rien dit.
Mais tout de même !
(Changeant de ton :)
Tout de même... j'étais content !
C'est vrai !
Je l'ai épousée pour le meilleur et pour le pire...
et chaque fois que je la perds pour le pire,
je la retrouve pour le meilleur... !

DERNIÈRE HEURE

Figurez-vous qu'il y a quelques jours,
on sonne à la porte de la maison.
C'était ma belle-mère...
Elle me dit :
« Je sens que ma dernière heure est arrivée,
je voudrais la passer chez vous ! »
Moi, je me dis : « Une heure, c'est vite passé... »
Je lui dis :
« Entrez, belle-maman ! »
Pauvre belle-maman !
Je dois dire que j'aurais passé
une partie de ma vie
à la semer !
Je l'ai semée partout !
Je l'ai semée sur un quai de gare...
dans la foule...
Je l'ai même semée dans un champ !
(Sans jeu de mot !)
Alors, en l'accueillant...
je ne faisais que récolter ce que j'avais semé !
Bref !
Je lui dis :
« Entrez, belle-maman !
Installez-vous ! »
Une heure se passe.

Rien !
Je lui dis *(montrant sa montre)* :
« Belle-maman, l'heure tourne ! »
Elle me dit :
« Vous êtes pressé ? »
Je lui dis :
« Moi, non ! Mais vous...
  Vous allez vous mettre en retard ! »
« Oh, elle me dit, je ne suis pas à une seconde près ! »
Elle chausse ses lunettes
et elle se met à lire les nouvelles
de dernière heure !
Alors là, je lui ai dit :
« Belle-maman, ce n'est pas très honnête,
  ce que vous faites !
  Quand on a convenu d'une heure, on s'y tient ! »
C'est vrai !
D'autant que je croyais que sa dernière heure,
elle ferait soixante minutes,
une durée normale, quoi !
Tandis que là, elle n'en finissait plus,
sa dernière heure !
D'autant qu'elle me dit :
« Qu'est-ce qu'on joue ce soir à la télé ? »
Je lui dis :
« *Les cinq dernières minutes,* belle-maman ! »
Elle me dit :
« Oh, c'est plus qu'il ne m'en faut ! »
Et elle s'installe devant le poste.
Quand elle a vu que c'était l'histoire
d'un monsieur qui essayait de semer
sa belle-mère, elle me dit :
« J'ai déjà vu le film.
D'ailleurs, il est temps de passer de l'autre côté ! »
Je lui dis :
« Voilà une sage résolution, belle-maman !
  Faites ! Passez donc ! »
Et elle est passée dans la chambre d'à côté !

Depuis, on est là...
On ne sait plus sur quel pied danser !
De temps en temps, on allume des bougies
pour créer l'atmosphère...
pour l'inciter au recueillement !
Dans ces moments-là, vous vous surprenez
à marmonner des phrases ambiguës :
« Tiens ? Il y en a une qui ne va
pas tarder à s'éteindre !
Forcément ! Cela fait plus d'une heure
qu'elle se consume ! »
Alors, les heures passent !
Onze heures !
« Vous prendrez bien un bouillon, belle-maman ?
Non ?... Ah ! ?... »
Une heure plus tard :
« Et un bain de minuit, bien glac... Non ? »
« Non, mais je fumerais bien une cigarette,
la dernière ! »
« Ah ! ! Va chercher le paquet ! »
Et tout le paquet y est passé !
De plus, elle ironise :
« Oh, je ne sais plus où mettre mes cendres. »
Forcément, le cendrier est plein !
Je n'ose pas le vider !
On va encore dire
que j'essaie de semer
ma belle-mère !

JE ME SUIS FAIT TOUT SEUL

Mesdames et messieurs,
je dois vous dire tout d'abord
que je me suis fait tout seul
et...
que je me suis raté.
Je me suis raté, quoi !
J'ai d'autant plus de mérite à l'avouer
que ça ne se voit pas tellement !
Encore que personne ne m'ait jamais dit :
« Vous vous êtes réussi ! »
En réalité,
je me suis fait plus moche que je ne suis !
Tout au début,
tandis que je me faisais,
je voyais bien que je ne me faisais pas bien.
Mais comme à chaque fois que je disais que
je me faisais mal,
les gens disaient : « C'est bien fait ! »,
j'ai continué à me faire mal
en croyant bien faire.
Et puis,
quand j'ai vu la tournure que je prenais,
j'ai tout arrêté.
Et je me suis laissé dans l'état où vous me voyez !
Alors, on a dit :

« Non seulement, il est raté,
mais en plus, il n'est pas fini ! »
Eh bien, j'aime mieux cela !
J'aime mieux ne pas être fini !
Un homme fini,
il est fini !
On a beau me dire : « Il est réussi ! »,
je réponds : « Oui ! Mais il est fini ! »
Au fond, je préfère être inachevé,
comme une symphonie !
Il y a de belles symphonies inachevées.
Encore que personne ne m'ait jamais dit :
« Vous êtes une belle symphonie inachevée ! »
L'avantage, quand on s'est raté,
c'est qu'ensuite, on peut tout rater impunément,
personne ne vous en fait grief !
On se sent sûr de soi,
on est serein !
Exemple :
A l'école, le jour de l'examen,
tous mes petits camarades avaient peur
de ne pas réussir !
Moi, je n'avais pas peur !
Ils se présentaient, tout tremblants, à l'examen.
Moi, j'étais confiant !
J'étais sûr de rater !
Et ça ne ratait pas !
L'examen, je le ratais haut la main !
(J'ai toujours réussi à rater tous mes examens.)
Je ne sais pas comment vous expliquer.
Pour un raté...
rater,
c'est estimer avoir réussi là où les autres
considèrent qu'ils ont raté !
Exemple :
Chaque fois que je fais un pas en avant
et que je le rate,
j'ai la sensation de progresser !

Encore que personne ne m'ait jamais dit :
« Sur le plan raté, vous avez fait des progrès ! »
Et pourtant, j'en ai fait !
Je rate mieux qu'avant !
Avant,
je ratais une fois sur deux !
Maintenant,
je rate à tout coup !
Finalement,
il n'y a qu'une chose que je sache bien faire :
c'est rater !
Si bien que,
si c'était à refaire,
s'il fallait que je me refasse,
je me raterais de la même façon !
Parce que, dans le fond,
on ne se refait pas !

DOUBLÉ PAR SES DOUBLES

Une nuit, je suis réveillé en sursaut par des coups frappés à la porte d'entrée...
J'ouvre.
C'était mon voisin de palier...
(Il avait un drap autour du cou.)
Il me dit :
« Venez vite ! On a volé mes doubles... »
Je lui dis :
« Vos doubles ? »
Je ne comprenais pas...
Il me dit :
« Venez ! »
Il m'invite à entrer chez lui...
Il ouvre la porte de la penderie...
Il me dit :
« Regardez ! »
Il y avait des piles de draps bien alignés sur des rayons...
Je lui dis :
« Que vous a-t-on pris ? »
Il me dit :
« Mes doubles ! »
Je lui dis :
« Les doubles de vos draps ? »
Il me dit :

« Non ! Mes doubles à moi !
Les doubles de ma personnalité ! »
Je lui dis :
« Expliquez-vous, parce que... »
Il me dit :
« Eh bien, voilà...
Comme tout un chacun, je me dédouble.
C'est-à-dire que... soudain,
je me vois devant moi,
aussi net que si je me contemplais
dans la glace de cette penderie...
Jugez de mon émoi ! »
Je lui dis :
« Oui ! Votre double aussi doit être ému ! »
Il me dit :
« Oui ! Puisqu'il est moi ! C'est un double émoi,
en somme. »
Je lui dis :
« Et alors ? »
Il me dit :
« Alors, je me trouve tellement laid
que je n'ai plus qu'une pensée :
me défaire de ce double affreux...
Le faire disparaître de ma vue !
Je lui jette un drap sur la tête.
Je le plie en deux, puis en quatre,
et je vais l'enfouir au fin fond de ma penderie,
afin que nul ne le voie !
J'avais ainsi séquestré
une demi-douzaine de mes doubles...
lorsque, cette nuit... je suis réveillé en sursaut
par des coups frappés à la porte de ma penderie...
J'ouvre.
Mes doubles avaient disparu ! »
Je lui dis :
« Vous manque-t-il des draps ? »
Il me dit :
« Oui ! Autant que de doubles ! »

Je lui dis :
« C'est simple ! Vos doubles se sont faits la paire
avec vos draps ! »
J'ai cru qu'il allait s'évanouir.
Je lui dis :
« Reprenez vos esprits ! Après tout,
ce n'était que des doubles !
Il vous reste l'original, Dieu merci !
Vous pouvez toujours vous refaire...
et en plusieurs exemplaires ! »
Il me dit :
« Oh ! A mon âge, monsieur, on ne se refait pas !
D'ailleurs, a-t-il ajouté,
si c'est pour se refaire aussi laid...
mieux vaudrait s'abstenir ! »
Je lui dis :
« Je ne voudrais pas vous faire de peine, monsieur,
mais vos doubles...
ils n'étaient pas plus laids que vous !
Regardez-vous, mon vieux ! »
Ça a eu le don de le mettre hors de lui !
Il m'a regardé...
Je l'ai entendu murmurer :
« Il faut que je me défasse de ce double affreux ! »
Il m'a jeté le drap qu'il avait autour du cou sur la tête.
Il m'a plié en deux et je me suis retrouvé plié en quatre
au fond de sa penderie ! Entre deux draps !
Et qu'est-ce que je découvre?
Que la penderie avait un double fond et que tous les
doubles de ses draps étaient au fond !
Alors, j'ai voulu en aviser mon voisin.
J'ai frappé contre la porte de la penderie,
et c'est précisément le bruit que faisaient les coups
qui m'a réveillé...
J'étais bien entre deux draps, mais dans mon lit !
Alors, me direz-vous, toute cette histoire de doubles
n'était qu'un mauvais rêve ?
Non ! Parce qu'en réalité, quelqu'un frappait

à la porte d'entrée à coups redoublés.
Je vais ouvrir.
C'était mon voisin de palier.
Il avait un drap autour du cou...
Il me dit :
« Venez vite ! On a volé mes doubles ! »
Je lui dis :
« Vos doubles ? »
Je ne comprenais pas.
Il me dit :
« Venez ! »
Il m'invite à entrer chez lui.
Il ouvre la porte de la penderie...
Il me dit :
« Regardez ! »
Il y avait des piles de draps bien alignés
sur des rayons...
La suite, vous la connaissez...
C'est exactement le double de l'histoire
que je viens de vous raconter !
Les gens ne se lassent pas de cette histoire.
Je peux la raconter une demi-douzaine de fois...
Les gens :
« Encore ! Encore ! »
Il n'y a que lorsqu'ils crient : « Encore ? »
que je la modifie.
Le début reste identique :
Une nuit, je suis réveillé en sursaut par des coups
frappés à la porte d'entrée.
J'ouvre...
C'était mon voisin de palier.
Il avait un drap autour du cou...
Il me dit :
« Venez vite ! On a volé mes doubles ! »
Je lui dis :
« Je le sais ! »
Il me dit :
« Ah ?

(Il était un peu décontenancé. Il s'est repris très vite.)
Oui, mais ce que vous ne savez pas,
c'est que je les ai retrouvés ! »
« Ah ? »
Il me dit :
« Venez ! »
Il m'invite à entrer chez lui
et au lieu d'ouvrir la porte de la penderie,
il ouvre la fenêtre.
Il me dit :
« Regardez ! »
Je me penche, et je vois... noués les uns aux autres,
six draps... blancs comme des linges...
qui se balançaient dans la clarté lunaire !
Je dis à mon voisin :
« Que s'est-il passé ? »
Il me dit :
« Je voulais me pendre...
et j'ai été doublé par mes doubles ! »

LE VENT DE LA RÉVOLTE

Quelquefois on me dit :
« Monsieur, est-ce que les histoires que vous racontez
ne vous empêchent pas de dormir ? »
Je dis :
« Si, mais comme ce sont des histoires à dormir debout,
je récupère ! »
Un soir, j'étais couché...
Ma femme avait ouvert la radio pour écouter
les nouvelles et j'entends :
« Il est minuit.
Tout est tranquille.
Dormez braves gens ! »
Rassuré, je me suis endormi.
Et j'ai fait un rêve...
J'ai rêvé que le vent de la révolte s'était levé,
que la Révolution était en marche
et que j'en avais pris la tête
dans un moment d'étourderie.
Je défilais... tout seul...
dans les rues désertes...
en brandissant au bout d'une pique
une tête de ci-devant...
La tête de qui ?
Alors là, chacun y met la sienne.
Chacun est libre de brandir la tête

qui ne lui revient pas !
Moi, j'avais pris une liste de têtes...
et celle qui était en tête,
je l'avais rayée de la liste.
J'avais tranché arbitrairement !
Je brandissais celle-là...
J'aurais préféré en brandir une autre !
Parce que mon ci-devant n'avait pas tout à fait
la tête de l'emploi ; il était hilare !
Si bien que chaque fois que je le secouais,
il donnait l'impression de rire à gorge déployée...
Bref ! je défilais...
Au début, je chantais...
Ah, ça ira ! Ça ira ! Ça ira !
Et puis, le doute venant,
j'ai chanté :
Est-ce que ça ira ? Est-ce que ça ira ?
et puis à la fin, tout à fait convaincu,
j'ai dit :
« Ça n'ira pas ! »
Une intuition !
De temps en temps...
je me retournais pour voir si je n'étais pas suivi,
parce que la radio avait beau annoncer :
« Il est minuit.
Tout est tranquille.
Dormez braves gens ! »,
un soir de révolution, les rues ne sont pas sûres :
ce sont de véritables coupe-gorges !
Et tout à coup, j'entends :
« Hep, vous deux ! »
C'était un gendarme à pied...
Il me dit :
« Qu'est-ce que vous faites là ? »
J'ai dit :
« La Révolution ! »
Il me dit :
« Et lui, là-haut ? »

Je lui dis :
« Il m'épaule !... enfin... je le soutiens ! »
Il me dit (me faisant signe de m'approcher :)
« Je peux parler devant lui ? »
Je lui dis :
« Alors là... j'en réponds ! »
Il me dit :
« Voilà ! Je suis des vôtres... Je suis un gendarme
à pied réfractaire. J'ai bien une pique mais je n'ai
pas de tête. Depuis que l'on a supprimé la peine
capitale, dès qu'il y a une tête de libre,
on se l'arrache !
Vous ne savez pas où je pourrais trouver une tête
comme la vôtre... enfin... comme celle de
votre ci-dessus ci-devant ? »
Je lui dis :
« A cette heure-ci, tous les guichets sont fermés.
C'est pour emporter ? »
Il me dit :
« Non, c'est pour brandir tout de suite ! »
Je lui dis :
« Écoutez, moi, à votre place, je me rendrais
à la Préfecture de Police, je réveillerais le Préfet
et je lui dirais que pendant qu'il dormait,
le vent de la révolte s'est levé, que la Révolution
est en marche et que c'est un gendarme à pied
qui en a pris la tête dans un moment d'indiscipline !
Croyez-moi, en haut lieu, il y a des têtes
qui vont tomber.
Il n'y aura qu'à se baisser pour les brandir ! »
Il me dit :
« Génial ! J'y cours... »
Je lui dis :
« Attention, hein, pas de bavures ! »
Il me dit :
« Non, tout dans la légitime défense ! »
Et il est parti en brandissant le V de la victoire !
Et la radio, inlassablement :

« Il est minuit.
Tout est tranquille.
Dormez braves gens ! »
Tout à coup, j'entends comme un bruit de grelots,
et je vois venir vers moi une espèce de fou,
qui marchait à reculons et en diagonale.
Il brandissait au bout d'une épée
une tête de ci-devant qui regardait derrière !
Au moment où nos deux cortèges arrivaient
à la même hauteur, il me dit :
« Dommage que nous ne soyons pas plus nombreux
à brandir des têtes,
la révolution aurait plus de gueule ! »
Je lui dis :
« C'est la tête de qui... que vous brandissez ? »
Il me dit :
« De Damoclès ! »
Je lui dis :
« Damoclès ? Celui qui avait toujours une épée
suspendue au-dessus de sa tête ? »
Il me dit :
« Oui, il en avait assez de sentir toujours
cette menace planer au-dessus de lui.
Alors moi, j'ai pris son épée... je lui ai coupé
la tête... Eh bien, monsieur, depuis que Damoclès
a son épée sous sa tête, il se porte mieux !
Hein, Damoclès ? »
Et Damoclès de répondre :
« Oui ! Mais il n'y a plus de suspense... ! »
Je dis :
« C'est lui qui vient de dire ça ? »
Il me dit :
« Oui, monsieur ! On a beau trancher la tête des gens,
on ne leur coupera jamais la parole ! »
Et il est parti en brandissant le V de la victoire.
Et la radio, inlassablement :
« Il est minuit... »
Toutes les demi-heures, dites-donc !

« Il est minuit.
  Tout est tranquille.
  Dormez braves gens ! »
J'ai dit :
« Il est toujours minuit, alors ! »
J'ai pensé :
« Minuit... Ça doit être l'heure H...
  L'heure H pour couper les têtes !
  Comme pour le débarquement, la nuit promet d'être
  le jour le plus long ! »
Là, j'ai eu une pensée pour ma femme.
Elle doit se dire :
« Qu'est-ce qu'il est encore allé brandir ailleurs ? »
Je me suis mis à évoquer le bon vieux temps...
(Chanté :)
  Douce France...
  Cher pays de mon enfance... bercé de...
Et puis, j'ai entendu un bruit de bottes.
(Chanté :)
  Nous en avons plein l' dos, plein l' sac,
  Plein l' fond des godillots,
  Plein l' fond des gamelles et des bidons ! (bis)
Je me retourne et je vois...
une bande de va-nu-pieds qui brandissaient
au bout de leurs piques des godillots,
des gamelles et des bidons !
Ils réclamaient des têtes !
Ils n'avaient pas les moyens de se payer la tête
de quelqu'un, les pauvres !
Je dis à l'un d'entre eux qui brandissait déjà
le V de la victoire :
« Qu'est-ce qu'il se passe ? »
Il me dit :
« Comment, vous ne savez pas ?
  Le gouvernement vient de nationaliser la Révolution ! »
Je lui dis :
« Quoi ? la Révolution est aux mains des forces
  de l'ordre ? C'est contraire à la Constitution !

Il faut faire quelque chose ! »
Il me dit :
« Vous, monsieur, qui avez une tête de plus que nous...
Voulez-vous être notre porte-parole ? »
J'ai dit :
« Volontiers !
Citoyens, citoyennes...
Et vous godillots, gamelles et bidons... »
et j'ai fait mon autocritique :
« Méfiez-vous des porte-paroles !...
Ils disent tout haut
ce que les autres pensent tout bas ! »
Tous :
« Il a raison ! Il parle comme un chef !
Il manie la carotte et le bâton de main de maître.
Suivons-le aveuglément ! »
Ils ont accroché des carottes au bout de leurs bâtons
et ils m'ont emboîté le pas :
(Chanté :)
Nous en avons plein l' dos... etc.
Vous savez que lorsque vous avez
toute l'opinion publique derrière vous
qui vous pousse à agir... qui vous talonne...
avec toutes ces carottes qui s'agitent devant vous...
et leurs fans derrière... vous avez beau dire
à ceux qui vous suivent :
« Eh ! Oh ! Faut pas pousser ! »
on est très vite dépassé par les événements !
A un moment, je ne pouvais plus suivre...
J'ai voulu crier :
« Ralliez-vous à mon panache blanc ! »
La langue m'a fourché... j'ai crié :
« Ralliez-vous à ma carotte rouge ! »
Stupeur dans les rangs !
Il y en avait qui avaient entendu :
« Ralliez-vous à ma calotte rouge ! »
Alors :
« A bas la calotte ! »

Il y en a même un qui avait entendu :
« A bas la culotte ! »
Un des Sans... (indécent)
... un des Sans-Culottes !
Il s'est mis à chanter... *Le zizi* de Pierre Perret :
Tout ! Tout ! Tout ! Vous saurez tout sur le zizi,
Le vrai, le faux, le laid, le beau...
Je lui dis :
« Le zizi, vous ne croyez pas que cela fait
un peu léger pour une révolution ? »
Il me dit :
« Mais monsieur, il faut penser aussi
à la révolution culturelle ! »
Et puis, il y a un chanteur,
qui s'était engagé pour la circonstance,
qui s'est mis à chanter :
La République nous appelle...
Sachons vaincre ou sachons périr... (un clip !)
Un Français doit vi-i-vre pour elle...
Pour elle, un Français doit mourir !
Là, je suis intervenu.
J'ai dit :
« Écoutez ! Puisqu'il y a UN Français qui doit mourir
pour elle, nous sommes beaucoup trop...
Il n'y a qu'à en désigner un...
et les autres pourront rentrer chez eux ! »
Tous :
« Il a raison ! »
J'ai dit...
« Qui se dévoue ? »
Tous :
« Vous ! »
J'ai dit :
« Pourquoi moi ? »
Ils m'ont dit :
« Parce que nous sommes tous des révolutionnaires
clandestins... Nous défilons au noir ! »
J'ai dit :

« Puisque je suis le seul révolutionnaire en situation
 régulière... je fais don de ma personne ! »
Tous :
« Bravo ! A mort notre bienfaiteur ! »
Ils m'ont hissé sur leurs épaules et m'ont porté
en héros jusqu'à la place de la République...
en chantant :
Dansons la carmagnole... Vive le son... Vive le son !
J'étais tellement ballotté, tiraillé à droite et
à gauche... à un moment, j'ai craqué...
J'ai crié :
« Arrêtez !... Arrêtez !... »
J'ai dit la parole du poète :
« Ne me secouez pas... Je suis plein de larmes ! »
Là, il y a eu un moment d'intense émotion...
Les gens ont sorti leur mouchoir...
Ils se sont mis à pleurer... sauf mon ci-devant, lui...
(Masque hilare... secoué de rires.)
Chacun y est allé de sa larme...
Quelqu'un m'a dit :
« Monsieur, voulez-vous être notre porte-larmes ? »
J'ai dit :
« Volontiers ! »
Tantôt j'étais le porte-larmes à droite...
tantôt... le porte-larmes à gauche !
Et soudain, la place de la République
s'est illuminée violemment !
J'étais comme auréolé de lumière...
J'ai cru que c'était l'état de grâce... Pas du tout !
C'était les projecteurs de la télévision
qui s'étaient braqués sur moi...
Le présentateur se précipite en brandissant
au bout d'une perche un micro :
« Monsieur, pour *Les dossiers de l'écran*,
 voulez-vous nous conter la Révolution ? »
J'ai dit :
« Quoi, depuis le début ? »
Il m'a dit :

« Non, le refrain seulement ! »
J'ai dit :
« Alors, ça ira ! »
Et puis, coup de théâtre !
Quelqu'un a crié : « 22, les v'là ! »
Le temps que je réalise qui c'était que « 22, les v'là »,
il n'y avait plus personne sur la place !
Qu'un petit gosse qui brandissait au bout d'un fil
un ballon rouge...
On s'est trouvé bêtes, tous les deux !
Quand il a vu mon ci-devant,
il m'a dit une chose terrible :
« Dis-donc, ton ballon là, il est crevé ? ! »
A ce moment-là, un car de police est arrivé, tous feux
éteints... Il a déversé 22 têtes sur la chaussée...
J'ai crié au gendarme à pied qui conduisait :
« Qu'est-ce qu'il se passe ? »
Il m'a dit :
« Comment, vous ne savez pas ? Le gouvernement a fait
volte-face. Il vient de privatiser la Révolution ! »
Je lui dis :
« Et alors ? »
Il me dit :
« Alors on change les têtes ! »
Et le car de police est parti
suivi du gosse qui chantait :
C'est Guignol, c'est Guignol, qui tape
Sur les gendarmes avec son compagnon Gnafron ! »
C'est alors que la place de la République a été envahie
par une bande de joyeux drilles passablement éméchés.
Ils ont ramassé les têtes et ils les ont brandies
au-dessus d'eux comme des lampions... en chantant :
Ah, ça rira ! Ça rira ! Ça rira !
J'étais outré !
J'ai crié :
« Écoutez, tournez la Révolution en ridicule,
si cela vous chante,
mais respectez au moins le matériel ! »

Et puis... – vous savez ce que c'est –
comme ils levaient leurs têtes à la santé
de la mienne,
j'ai brandi la mienne
et j'ai trinqué à la leur :
(Chanté :)
A la tienne, Étienne !
A la tienne, mon vieux !
Dans l'euphorie générale, je me suis même surpris
en train de brandir le poing en criant :
« On a gagné ! On a gagné ! »
Et je me suis aperçu qu'en serrant le poing,
j'avais enfermé à l'intérieur le V de la victoire !
Là, mesdames et messieurs, j'ai compris
Que l'on s'était tous fait piéger...
tous fait piéger à un moment ou à un autre...
Les ci-devant... Les ci-derrière...
les ci-à gauche, les ci-à droite...
Les ci-au centre !
J'ai compris que le vent de la défaite s'était levé,
que la retraite était en marche
et que j'en avais pris la tête
dans un moment de lâcheté !
Lors... je n'ai plus eu qu'une pensée :
sauver nos têtes !
La mienne, d'abord !
Et puis celle de mon ci-devant ensuite, qui avait
tout de même fait toute la Révolution la tête haute !
J'ai décroché ma tête...
je l'ai enveloppée dans un drap...
et je l'ai glissée sous mon bras, en me disant :
« Cela me fera toujours une tête d'avance
pour une révolution future ! »
Et comme je m'apprêtais à rentrer me coucher,
j'entends :
« Ma tête !... Ma tête... J'étouffe... ! »
Je regarde sous mon bras.
Il y avait bien une tête mais

ce n'était plus celle de mon ci-devant,
c'était celle de
ma femme... qui me dit :
« Que tu dormes ma tête sous ton bras, c'est plutôt
  sympahique ! Mais je t'en supplie, ne serre pas
  si fort ! »
Là, j'ai compris que je n'avais fait que rêver
que le vent de la révolte s'était levé,
que la Révolution était en marche
et que j'en avais pris la tête
dans un moment d'étourderie !
Alors, je ne sais quelle mouche m'a piqué...
Je suis allé ouvrir la fenêtre et... j'ai crié :
« Il est minuit.
  Tout est tranquille.
  Dormez braves gens ! »
Ah, dis-donc !
J'ai failli révolutionner tout le quartier !

LA VIE, JE ME LA DOIS

Vous ai-je dit que
je m'étais sauvé la vie ?
Je me suis sauvé la vie !
Tout seul !
Évidemment, j'aurais préféré
que ce fût quelqu'un d'autre
qui me la sauvât, la vie !
Mais comme personne ne passait par là,
j'ai bien été obligé
de me la sauver moi-même...
la vie !
Figurez-vous qu'en
descendant des marches,
j'en ai raté une !
Je me suis retrouvé au pied de l'escalier
avec une jambe cassée.
Et personne pour me porter secours !
Allais-je me laisser pour mort ?
J'en connais des...
qui ne se seraient pas arrêtés.
Ils se seraient enjambés et
ils auraient poursuivi leur chemin !
Ils seraient passés sans se voir.
Il y a des gens à l'intérieur de qui
il n'y en a pas un pour relever l'autre !

Moi, quand je me suis vu dans cet état,
ça m'a fait mal !
J'étais bouleversé !
Je me suis dit :
« Ne bouge pas, mon petit père !
Je vais te tirer de là ! »
J'ai pris ma jambe à mon cou
et je me suis sauvé (sur l'autre) !
Enfin... c'est une image.
Si bien que la vie, je me la dois !
L'avantage de se devoir la vie,
c'est qu'on ne la doit pas à quelqu'un d'autre !
Au prix où est la vie,
c'est toujours ça !
Depuis, je considère que j'ai
une dette envers moi-même.
Je peux me demander n'importe quoi.
Je ne peux rien me refuser !
Oh, je n'ai aucun mérite !
Ce que j'ai fait pour moi,
n'importe qui l'aurait fait
pour lui !

NARCISSISME

Vous savez ce que c'est le narcissisme ?...
C'est se plaire, SE plaire !
Narcisse s'était épris de lui-même
en se contemplant dans l'eau d'une fontaine.
Et moi, j'étais chez ma marchande de chaussures...
en train d'essayer une paire de vernis...
Et en me penchant pour juger de l'effet,
je me suis vu dans ma chaussure
comme si j'y étais !
Elle réfléchissait mon image !
Comme de plus, la surface d'une chaussure
est courbe... convexe...
elle faisait miroir déformant !
Si bien que... selon que je m'approchais ou m'éloignais,
mon visage changeait de pointure...
(Selon que son visage s'approche ou s'éloigne
de sa chaussure, ses joues se creusent
ou se gonflent.)
Alors, fatalement, à un moment...
(il se fige à mi-chemin)
j'étais beau !
Alors là, je n'ai plus bougé !
Je suis resté là à me mirer dans ma chaussure.
Et plus je me mirais,
plus je m'admirais !

Je trouvais que j'avais de beaux yeux.
J'ai dit à la vendeuse :
« Je crois que j'ai trouvé chaussure à mon pied. »
Elle m'a dit :
« Vous avez de la chance ! »
Je lui dis :
« Oui, je suis verni ! »
J'ai payé et, sans même daigner jeter un regard sur la vendeuse, je me suis retrouvé dans la rue, comme ça *(il le mime)* à marcher tête baissée...
Je ne pouvais plus me quitter des yeux !
Alors les gens qui me connaissaient :
« Comment ça va ?
– Ça va !
– Salut toi !
– Salut ! »
Les badauds :
« Qu'est-ce que vous regardez ?
– Ça me regarde ! »
Les gens croyaient que je faisais du nombrilisme parce que c'est sur le trajet...
(Mais non !)
C'était bien du narcissisme...
et de la plus belle eau !
Alors, les gens qui m'aimaient bien
essayaient de me distraire :
« Regarde là-haut ! Il y a un ange qui passe ! »
(Rappel d'« Un ange passe ».)
Je répondais :
« Je sais ! Je le vois passer dans ma chaussure ! »
Les psychiatres se sont penchés sur mon cas.
Ils sont venus regarder dans ma chaussure
pour voir s'ils m'y voyaient.
Comme ils s'y voyaient aussi,
ils s'y miraient !
Et plus ils s'y miraient...
plus ils s'admiraient
Ils finissaient par ne plus voir qu'eux-mêmes !

Alors, ils disaient :
« Il y a un tas de gens dans les chaussures de Devos, sauf lui ! »
Et un jour...
quelqu'un m'a marché sur le pied.
Le lendemain, j'avais une tête comme ça !
(Geste à l'appui.)
Un menton en galoche !
Je marchais à côté de mes pompes.
Là, j'ai dit :
« Ça suffit ! Terminé ! »
Je suis retourné voir la vendeuse, je lui ai dit :
« Mademoiselle, donnez-moi une autre paire de vernis, mais MATE ! ! ! »
Elle a chaussé ses lunettes...
elle s'est penchée...
et elle est restée là
à se mirer
dans ma chaussure.
Et plus elle se mirait,
plus je l'admirais !
Elle avait quelque chose d'un ange !
Depuis, on ne se quitte plus d'une semelle...
Mesdames et messieurs...
si vous m'entendez dire,
en regardant ma chaussure :
« Tu as de beaux yeux... tu sais ? »
ce n'est plus du narcissisme !
C'est de l'amour...

MOURIR POUR VOUS

Mesdames et messieurs,
je n'ai jamais osé vous le dire, par pudeur,
mais c'est fou ce que je vous aime !
Je n'ai vécu que pour vous,
et je suis prêt à mourir pour vous,
là, tout de suite... sur scène...
si vous le souhaitez !
... Je vous savais gens intelligents !
Oui, je voudrais mourir sur scène, comme Molière !
Même pas dans un fauteuil.
Un strapontin suffirait à ma gloire !
(Au pianiste :)
Savez-vous une chose...
si je mourais là, tout de suite,
devant ces messieurs-dames,
je ne suis pas sûr que dans la salle,
il n'y aurait pas quelqu'un qui crierait :
« Remboursez ! »
(Au public, l'air sévère :)
Alors là, mesdames et messieurs,
mettons-nous bien d'accord !
Qu'il n'y ait personne pour suivre
mon enterrement comme pour Molière,
je veux bien !
Qu'il n'y ait pas d'oraison funèbre,

comme pour Molière,
je veux bien !
Mais rembourser ?
...JAMAIS !
D'ailleurs, vous savez fort bien,
mesdames et messieurs,
qu'avec la conscience professionnelle qui me caractérise,
s'il fallait que je meure devant vous,
ce serait à la toute fin du spectacle,
avant que le rideau ne tombe,
dans la tradition moliéresque !

LE PARAPSYCHOLOGUE ET L'ARTISTE

Hier soir, en sortant par l'entrée des artistes...
il y a un monsieur qui m'attendait...
Il était professeur en parapsychologie...
Un front comme ça ! (énorme !).
Professeur en parapsychologie...
Avec deux yeux au-dessus du front !
Ça a l'air monstrueux, comme ça...
Pas pour un professeur en parapsychologie !
Alors, on croyait qu'il avait les cheveux dans les yeux
alors qu'il avait les yeux dans les cheveux !
Il me dit :
« Monsieur, je viens d'assister à votre spectacle...
Vous passez à travers les murs, certes...
mais c'est dans l'imaginaire !
Alors que moi, monsieur, moi et mes élèves,
nous passons à travers les murs dans le réel
et plusieurs fois par jour ! »
Je lui dis :
« Monsieur, mes compliments !
Peut-on savoir comment vous vous y prenez pour
passer à travers un mur ? »
Il m'a dit :
« Volontiers !
Je me présente devant le mur que je me propose
de traverser...

Je passe à travers mes vêtements... Vlouff !
Et dans la foulée, je traverse le mur ! »
Je lui dis :
« Mais alors, monsieur, de l'autre côté du mur...
vous êtes tout nu ? »
Il me dit :
« Oui, monsieur ! »
Je lui dis :
« Ça ne vous gêne pas... aux entournures ? »
Il me dit :
« Non ! Parce qu'il ne vient jamais personne !...
Sauf, de temps en temps... un ange qui passe ! »
Je lui dis :
« Monsieur, vous ne doutez de rien ? »
Il me dit :
« Si, monsieur ! Et quand je doute, je plane... »
! !
Je lui dis :
« Mais alors... lorsque je vois planer un doute... ? »
Il me dit :
« C'est moi ! »
Là, j'ai senti le sol se dérober sous moi...
J'ai éprouvé le besoin de m'appuyer sur quelque chose
de tangible...
Il y avait le mur du théâtre qui était là...
Je me suis appuyé contre le mur...
et vloff... je suis passé au travers !
Le professeur en parapsychologie a voulu me suivre.
Il s'est tapé le front contre le mur...
Et ploff !
Non mais, qui c'est l'artiste ? !

ÉGALEMENT CHEZ POCKET
LITTÉRATURE GÉNÉRALE

Abgrall Jean-Marie
La mécanique des sectes

Alberoni Francesco
Le choc amoureux
L'érotisme
L'amitié
Le vol nuptial
Les envieux
La morale
Je t'aime
Vie publique et vie privée

Antilogus Pierre,
Festjens Jean-Louis
Guide de self-control à l'usage des conducteurs
Guide de survie au bureau
Guide de survie des parents
Le guide du jeune couple
L'homme expliqué aux femmes
L'école expliquée aux parents

Arnaud Georges
Le salaire de la peur

Barjavel René
Les chemins de Katmandou
Les dames à la licorne
Le grand secret
La nuit des temps
Une rose au paradis

Berberova Nina
Histoire de la baronne Boudberg
Tchaïkovski

Bernanos Georges
Journal d'un curé de campagne
Nouvelle histoire de Mouchette
Un crime

Besson Patrick
Le dîner de filles

Blanc Henri-Frédéric
Combats de fauves au crépuscule
Jeu de massacre

Boissard Janine
Marie-Tempête
Une femme en blanc

Bordonone Georges
Vercingétorix

Borgella Catherine
Marion du Faouët, brigande et rebelle

Botton Alain de
Petite philosophie de l'amour
Comment Proust peut changer votre vie
Le plaisir de souffrir
Portrait d'une jeune fille anglaise

Boudard Alphonse
Mourir d'enfance
L'étrange Monsieur Joseph

Boulgakov Mikhaïl
Le Maître et Marguerite
La garde blanche

Boulle Pierre
La baleine des Malouines
L'épreuve des hommes blancs
La planète des singes
Le pont de la rivière Kwaï
William Conrad

Boyle T. C.
Water Music

Bragance Anne
Anibal
Le voyageur de noces

Le chagrin des Resslingen
Rose de pierre

Brontë Charlotte
Jane Eyre

Burgess Anthony
L'orange mécanique
Le testament de l'orange
L'homme de Nazareth

Buron Nicole de
Chéri, tu m'écoutes ?

Buzzati Dino
Le désert des Tartares
Le K
Nouvelles (Bilingue)
Un amour

Carr Caleb
L'aliéniste
L'ange des ténèbres

Carrière Jean
L'épervier de Maheux
Achigan

Carrière Jean-Claude
La controverse de Valladolid
La paix des braves
Simon le mage
Le cercle des menteurs

Cesbron Gilbert
Il est minuit, docteur Schweitzer

Chandernagor Françoise
L'allée du roi

Chang Jung
Les cygnes sauvages

Chateaureynaud G.-O.
Le congrès de fantomologie
Le château de verre
La faculté des songes

Chimo
J'ai peur
Lila dit ça

Cholodenko Marc
Le roi des fées

Clavel Bernard
Le carcajou
Les colonnes du ciel
1. La saison des loups
2. La lumière du lac
3. La femme de guerre
4. Marie Bon Pain
5. Compagnons du Nouveau Monde

La grande patience
1. La maison des autres
2. Celui qui voulait voir la mer
3. Le cœur des vivants
4. Les fruits de l'hiver

Jésus, le fils du charpentier
Malataverne
Lettre à un képi blanc
Le soleil des morts
Le seigneur du fleuve
L'Espagnol
Le tambour du bief

Collet Anne
Danse avec les baleines

Comte-Sponville André, Ferry Luc
La sagesse des Modernes

Courrière Yves
Joseph Kessel

Cousteau Jacques-Yves
L'homme, la pieuvre et l'orchidée

Dautun Jeanne
Un ami d'autrefois

David-Néel Alexandra
Au pays des brigands gentils-hommes
Le bouddhisme du Bouddha
Immortalité et réincarnation
L'Inde où j'ai vécu
Journal (2 tomes)
Le Lama aux cinq sagesses
Magie d'amour et magie noire
Mystiques et magiciens du Tibet
La puissance du néant

Le sortilège du mystère
Sous une nuée d'orages
Voyage d'une Parisienne à Lhassa
La lampe de sagesse
La vie surhumaine de Guésar de Ling

DECAUX ALAIN
L'abdication
C'était le XXe siècle
1. De la Belle Époque aux Années folles
2. La course à l'abîme
3. La guerre absolue
Histoires extraordinaires
Nouvelles histoires extraordinaires
Tapis rouge

DENIAU JEAN-FRANÇOIS
La Désirade
L'empire nocturne
Le secret du roi des serpents
Un héros très discret
Mémoires de 7 vies
1. Les temps nouveaux
2. Croire et oser

DEVIERS-JONCOUR CHRISTINE
Opération bravo

EVANS NICHOLAS
L'homme qui murmurait à l'oreille des chevaux
Le cercle des loups

FAULKS SEBASTIAN
Les chemins de feu
Charlotte Gray

FERNANDEZ DOMINIQUE
Le promeneur amoureux

FITZGERALD SCOTT
Un diamant gros comme le Ritz

FORESTER CECIL SCOTT
Aspirant de marine
Lieutenant de marine
Seul maître à bord
Trésor de guerre
Retour à bon port
Le vaisseau de ligne
Pavillon haut
Le seigneur de la mer
Lord Hornblower
Mission aux Antilles

FRANCE ANATOLE
Crainquebille
L'île des pingouins

FRANCK DAN, VAUTRIN JEAN
La dame de Berlin
Le temps des cerises
Les noces de Guernica
Mademoiselle Chat

GALLO MAX
Napoléon
1. Le chant du départ
2. Le soleil d'Austerlitz
3. L'empereur des rois
4. L'immortel de Sainte-Hélène

La Baie des Anges
1. La Baie des Anges
2. Le Palais des Fêtes
3. La Promenade des Anglais

De Gaulle
1. L'appel du destin
2. La solitude du combattant
3. Le premier des Français
4. La statue du commandeur

GENEVOIX MAURICE
Beau François
Bestiaire enchanté
Bestiaire sans oubli
La forêt perdue
Le jardin dans l'île
La Loire, Agnès et les garçons
Le roman de Renard
Tendre bestiaire

GIROUD FRANÇOISE
Alma Mahler
Jenny Marx
Cœur de tigre
Cosima la sublime

GRÈCE MICHEL DE
Le dernier sultan
L'envers du soleil – Louis XIV
La femme sacrée
Le palais des larmes

La Bouboulina
L'impératrice des adieux

GUITTON JEAN
Mon testament philosophique

HAMILTON JANE
La carte du monde

HERMARY-VIEILLE CATHERINE
Un amour fou
Lola
L'initié
L'ange noir

HIRIGOYEN MARIE-FRANCE
Le harcèlement moral

HYVERNAUD GEORGES
La peau et les os

INOUÉ YASUSHI
Le geste des Sanada

JACQ CHRISTIAN
L'affaire Toutankhamon
Champollion l'Égyptien
Maître Hiram et le roi Salomon
Pour l'amour de Philae
Le Juge d'Égypte
1. La pyramide assassinée
2. La loi du désert
3. La justice du Vizir

La reine soleil
Barrage sur le Nil
Le moine et le vénérable
Sagesse égyptienne
Ramsès
1. Le fils de la lumière
2. Le temple des millions d'années
3. La bataille de Kadesh
4. La dame d'Abou Simbel
5. Sous l'acacia d'Occident

Les Égyptiennes
Le pharaon noir
Le petit Champollion illustré

JANICOT STÉPHANIE
Les Matriochkas

JOYCE JAMES
Les gens de Dublin

KAFKA FRANZ
Le château
Le procès

KAUFMANN JEAN-CLAUDE
Le cœur à l'ouvrage

KAZANTZAKI NIKOS
Alexis Zorba
Le Christ recrucifié
La dernière tentation du Christ
Lettre au Greco
Le pauvre d'Assise

KENNEDY DOUGLAS
L'homme qui voulait vivre sa vie
Les désarrois de Ned Allen

KESSEL JOSEPH
Les amants du Tage
L'armée des ombres
Le coup de grâce
Fortune carrée
Pour l'honneur

LAINÉ PASCAL
Elena

LAPIERRE ALEXANDRA
L'absent
La lionne du boulevard
Fanny Stevenson
Artemisia

LAPIERRE DOMINIQUE
La cité de la joie
Plus grand que l'amour
Mille soleils

LAPIERRE DOMINIQUE et COLLINS LARRY
Cette nuit la liberté
Le cinquième cavalier
Ô Jérusalem
... ou tu porteras mon deuil
Paris brûle-t-il ?

LAWRENCE D.H.
L'amant de Lady Chatterley

LÉAUTAUD PAUL
Le petit ouvrage inachevé

LÊ LINDA
Les trois Parques

Lesueur Véronique
Nous les infirmière

Levi Primo
Si c'est un homme

Lewis Roy
Le dernier roi socialiste
Pourquoi j'ai mangé mon père

Loti Pierre
Pêcheur d'Islande

Lucas Barbara
Infirmière aux portes de la mort

Mallet-Joris Françoise
La maison dont le chien est fou
Le rempart des Béguines
Sept démons dans la ville

Mauriac François
Le romancier et ses personnages
Le sagouin

Mawson Robert
L'enfant Lazare

Messina Anna
La maison dans l'impasse

Michener James A.
Alaska
1. La citadelle de glace
2. La ceinture de feu

Mexique
Docteur Zorn

Milovanoff Jean-Pierre
La splendeur d'Antonia
Le maître des paons

Mimouni Rachid
De la barbarie en général et de l'intégrisme en particulier
Le fleuve détourné
Une peine à vivre
Tombéza
La malédiction
Le printemps n'en sera que plus beau
Chroniques de Tanger

Miquel Pierre
Le chemin des Dames

Mitterand Frédéric
Les aigles foudroyés
Destins d'étoiles
Lettres d'amour en Somalie

Monteilhet Hubert
Néropolis

Montupet Janine
La dentellière d'Alençon
La jeune amante
Un goût de miel et de bonheur sauvage
Dans un grand vent de fleurs
Bal au palais Darelli
Couleurs de paradis
La jeune fille et la citadelle

Morgièvre Richard
Fausto
Andrée
Cueille le jour

Nakagami Kenji
La mer aux arbres morts
Mille ans de plaisir

Nasr Eddin Hodja
Sublimes paroles et idioties

Naudin Pierre
Cycle d'Ogier d'Argouges
1. Les lions diffamés
2. Le granit et le feu
3. Les fleurs d'acier
4. La fête écarlate
5. Les noces de fer

Nin Anaïs
Henry et June (Carnets secrets)

O'Brian Patrick
Maître à bord
Capitaine de vaisseau
La « Surprise »
L'île de la désolation

Pears Iain
Le cercle de la croix

Perec Georges
Les choses

Peyramaure Michel
Henri IV
1. L'enfant roi de Navarre
2. Ralliez-vous à mon panache blanc !
3. Les amours, les passions et la gloire

Lavalette grenadier d'Egypte
Suzanne Valadon
1. Les escaliers de Montmartre
2. Le temps des ivresses

Jeanne d'Arc
1. Et Dieu donnera la victoire
2. La couronne de feu

Picard Bertrand, Brian Jones
Le Tour du monde en 20 jours

Purves Libby
Comment ne pas élever des enfants parfaits
Comment ne pas être une mère parfaite
Comment ne pas être une famille parfaite

Queffelec Yann
La femme sous l'horizon
Le maître des chimères
Prends garde au loup
La menace

Radiguet Raymond
Le diable au corps

Ramuz C.F.
La pensée remonte les fleuves

Revel Jean-François
Mémoires

Revel Jean-François,
Ricard Matthieu
Le moine et le philosophe

Rey Françoise
La femme de papier
La rencontre
Nuits d'encre
Marcel facteur
Le désir

Rice Anne
Les infortunes de la Belle au bois dormant
1. L'initiation
2. La punition
3. La libération

Rifkin Jeremy
Le siècle biotech

Rivard Adeline
Bernard Clavel, qui êtes-vous ?

Rouanet Marie
Nous les filles
La marche lente des glaciers

Sagan Françoise
Aimez-vous Brahms..
… et toute ma sympathie
Bonjour tristesse
La chamade
Le chien couchant
Dans un mois, dans un an
Les faux-fuyants
Le garde du cœur
La laisse
Les merveilleux nuages
Musiques de scènes
Répliques
Sarah Bernhardt
Un certain sourire
Un orage immobile
Un piano dans l'herbe
Un profil perdu
Un chagrin de passage
Les violons parfois
Le lit défait
Un peu de soleil dans l'eau froide
Des bleus à l'âme
Le miroir égaré
Derrière l'épaule...

Saint-Exupéry Consuelo de
Mémoires de la rose

Salinger Jerome-David
L'attrape-cœur
Nouvelles

Sarraute Claude
Des hommes en général et des femmes en particulier
C'est pas bientôt fini

Saumont Annie
Après
Les voilà quel bonheur
Embrassons-nous

Sparks Nicholas
Une bouteille à la mer

Steinberg Paul
Chroniques d'ailleurs

Stocker Bram
Dracula

Tartt Donna
Le maître des illusions

Troyat Henri
Les semailles et les moissons
1. Les semailles et les moissons
2. Amélie
3. La Grive
4. Tendre et violente Élisabeth
5. La rencontre

Valdés Zoé
Le néant quotidien
Sang bleu *suivi de* La sous-développée
La douleur du dollar

Vanier Nicolas
L'Odyssée blanche

Vanoyeke Violaine
Une mystérieuse Egyptienne
Le trésor de la reine-cobra

Vialatte Alexandre
Antiquité du grand chosier
Badonce et les créatures
Les bananes de Königsberg
Les champignons du détroit de Behring
Chronique des grands micmacs
Dernières nouvelles de l'homme
L'éléphant est irréfutable
L'éloge du homard et autres insectes utiles
Et c'est ainsi qu'Allah est grand
La porte de Bath Rahbim

Victor Paul-Émile
Dialogues à une voix

Villers Claude
Les grands aventuriers
Les grands voyageurs
Les stars du cinéma
Les voyageurs du rêve

Wallace Lewis
Ben-Hur

Waltari Mika
Les amants de Byzance
Jean le Pérégrin

Wells Rebecca
Les divins secrets des petites ya-ya

Wickham Madeleine
Un week-end entre amis
Une maison de rêve

Wolf Isabel
Les tribulations de Tiffany Trott

Wolfe Tom
Un homme, un vrai

Xenakis Françoise
« Désolée, mais ça ne se fait pas »

Achevé d'imprimer sur les presses de

BUSSIÈRE

GROUPE CPI

à Saint-Amand-Montrond (Cher)
en février 2001

POCKET - 12, avenue d'Italie - 75627 Paris Cedex 13
Tél. : 01-44-16-05-00

— N° d'imp. 10184. —
Dépôt légal : septembre 1990.

Imprimé en France